LES AVENTURIERS DU MONDE MAGIQUE

L'ARCHE DU TEMPS

ANDRE NORTON

LES AVENTURIERS DU MONDE MAGIQUE

L'ARCHE DU TEMPS

Traduit de l'américain par
Gilles Dupreux

Titre original :
Witch World

Loi n° 49-956 du 16 juillet 1949 sur les publications
destinées à la jeunesse : mai 1994.

ISBN 2-266-06211-5

PREMIÈRE PARTIE

L'AVENTURE DE FORT SULCAR

CHAPITRE PREMIER

LE SIÈGE PÉRILLEUX

La pluie barrait la rue crasseuse d'un rideau oblique. Le goût métallique de la suie décollée des murs par les trombes d'eau se déposait sur les lèvres de l'homme grand et mince qui marchait en scrutant les ruelles et les porches semés sur son chemin.

Simon Tregarth était sorti de la gare deux heures plus tôt. Ou était-ce trois ? Il n'avait plus besoin de mesurer le temps et il ne se connaissait pas de destination. Tregarth ne se cachait plus. Il marchait la tête haute, les épaules droites.

Les premiers jours, quand il lui restait un peu d'espoir, Simon avait utilisé toute sa ruse pour brouiller sa piste et affoler la meute. Sa vie étant toujours gouvernée par la tyrannie des heures et des minutes, il avait couru, comme tous les gibiers. Aujourd'hui, il marchait.

Et il continuerait jusqu'à ce que se montre la mort tapie sous un de ces porches, dans une de ces ruelles.

Alors il périrait.

Mais pas sans lutter !

Sa main droite, enfoncée dans la poche détrempée de

son manteau, caressa son automatique : lisse et froide, l'arme se logeait dans sa paume comme le prolongement de son corps rompu à toutes les formes de combat.

La lumière rouge et jaune des néons dessinait des arabesques sur les pavés mouillés. Simon connaissait peu de chose de la ville : un ou deux hôtels du centre, quelques restaurants, une demi-douzaine de boutiques. En somme, ce qu'un voyageur moyen peut retenir de deux visites distantes de six années.

Ce n'était pas le moment d'explorer. Simon voulait rester à la vue de tous. Une intuition, très forte, lui disait que la fin de la chasse était pour ce soir, ou pour demain à l'aube.

Il était fatigué ; trop de nuits sans sommeil à scruter les ombres... Il ralentit devant l'enseigne d'un restaurant. Un homme en livrée lui ouvrit la porte. Acceptant l'invitation, Tregarth entra. Il faisait chaud. Une bonne odeur de nourriture monta à ses narines.

Le mauvais temps devait avoir découragé la clientèle. Sinon, le maître d'hôtel ne l'aurait pas accueilli avec tant d'empressement. Ou était-ce la coupe encore présentable de son costume, une fois le manteau lourd de pluie retiré, qui l'abusait ? Quoi qu'il en fût, l'assurance de Simon — signe particulier d'un homme habitué à commander — lui valut une des meilleures tables, et les petits soins du serveur.

Tregarth sourit en lisant le menu. Il y avait une trace d'authentique amusement dans cette réaction : le condamné à mort allait avoir son dernier repas. Distordu par la forme sphérique du sucrier en inox, son reflet lui rendit son sourire. Simon contempla son visage. Avec son teint hâlé, ses traits réguliers, ses rides aux coins des yeux, c'était celui d'un homme mature, mais pourtant sans âge. Tregarth avait cet air-là à vingt-cinq ans ; il aurait eu le même à soixante.

Il mangea lentement, savourant chaque bouchée. La chaleur de la pièce et le bouquet du vin — choisi avec grand soin — apaisèrent son corps. Mais son esprit et ses nerfs n'étaient pas dupes : c'était la fin, il le savait — et il l'acceptait.

— Excusez-moi ?

Simon leva les yeux. L'homme qui l'abordait pouvait être un courtier en bourse, un avocat d'affaires ou un médecin. Tout son être dégageait la nécessité *professionnelle* d'inspirer confiance. Il se montrait trop poli, respectable et correct pour être ce que Tregarth attendait : la mort !

L'Organisation avait d'innombrables serviteurs. Chacun s'en tenait à sa spécialité.

— Oui ?

— Vous êtes bien le colonel Simon Tregarth ?

— Je suis Simon Tregarth, mais pas « colonel ». Vous le savez fichtre bien !

L'autre parut légèrement surpris. Puis il se fendit d'un sourire aussi professionnel que son allure.

— Que je suis indélicat, cher *monsieur* Tregarth ! Clarifions les choses : je n'appartiens pas à l'Organisation. Je suis un ami... Enfin, si vous m'y autorisez. Mais permettez-moi de me présenter : docteur Jorge Petronius, *à votre service*. Et ce n'est pas une simple formule de politesse...

Simon se considérait avec raison comme un mort en sursis. Mais il n'avait pas prévu cette rencontre. Elle lui communiquait un regain d'espoir.

Il ne doutait pas un instant de l'identité du petit homme qui le regardait à travers d'épais lorgnons évoquant irrésistiblement le XVIIIe siècle. Le docteur était réputé dans le monde marginal et violent où

Simon vivait depuis des années. Un type « brûlé », s'il avait la chance d'être en fonds, pouvait toujours se rendre chez Petronius. Personne n'avait trouvé mieux pour échapper à la loi ou à la vengeance d'anciens amis.

— Sammy est en ville, dit le docteur.

— Sammy ? C'est plutôt flatteur pour moi !

— Vous avez une sacrée réputation, Tregarth. L'Organisation a lâché ses meilleurs chiens. Après la façon radicale dont vous avez traité Kotchef et Lampson, il ne restait que Sammy. Il est d'une autre trempe. Vous êtes en cavale depuis un bon moment. Ce n'est sûrement pas idéal pour renforcer le bras qui tient votre arme...

Simon rit de bon cœur. Il appréciait la nourriture, le vin, et même la compagnie du docteur Jorge Petronius. Mais il ne baisserait pas sa garde pour autant.

— A vous entendre, docteur, mon bras aurait besoin de se muscler ? Quelle thérapie suggérez-vous ?

— La meilleure : la mienne !

Simon posa son verre.

— J'ai entendu dire que vos services n'étaient pas donnés.

Le petit homme haussa les épaules.

— C'est vrai. Mais j'offre une évasion *totale*, Tregarth. Ceux qui me font confiance en ont pour leur argent. Je n'ai jamais eu de réclamations...

— Je n'ai pas les moyens de vérifier. Je suis à sec.

— A sec ? Vos récentes activités auraient-elles mis à mal vos réserves ? Hum... C'est fort probable. Mais je sais que vous avez quitté San Pedro avec vingt mille dollars. Vous n'avez pas pu tout dépenser. Si vous *rencontrez* Sammy, ce qui reste retournera dans la poche de Hanson.

L'expression de Simon changea. Un instant, il eut

l'air cruel et dangereux. C'est ainsi que Sammy le verrait, s'ils devaient s'affronter face à face, à la loyale.

— Pourquoi me poursuivez-vous, Petronius ? Et comment m'avez-vous trouvé ?

— Pourquoi je vous poursuis ? Vous comprendrez plus tard... A ma manière, je suis un scientifique, un explorateur et un chercheur. Si je vous ai trouvé, c'est tout simplement que je vous savais en ville, et sûrement en mal de mes services. Tregarth, les rumeurs vont vite. Vous êtes un homme marqué. Marqué et dangereux. Vos allées et venues intéressent beaucoup de monde. Comble de malheur, votre honnêteté augmente les risques !

— Mon *honnêteté* ? Avec ce que j'ai fait ces sept dernières années, vous me trouvez honnête ?

Petronius rit franchement, invitant Simon à partager son amusement.

— L'honnêteté n'a souvent rien à voir avec les sentences des tribunaux, Tregarth. Si vous n'étiez pas foncièrement honnête — et même idéaliste —, vous ne vous seriez pas dressé contre Hanson. Y allons-nous, à présent ?

Simon régla son addition et suivit Petronius. Une voiture attendait. Quand ils furent assis, le chauffeur démarra sans attendre l'ordre du docteur.

— Simon Tregarth, commença Petronius d'une voix impersonnelle. Famille originaire de Cornouailles. Engagé dans l'armée américaine le 10 mars 1939. D'abord sergent, puis promu lieutenant pour héroïsme au combat. Accède au grade de lieutenant-colonel. Sert dans les forces d'occupation jusqu'au moment où il est dégradé et incarcéré... Pour quel motif ? Ah, ça me revient : marché noir ! Pauvre colonel, abusé par des collègues indélicats. Vous ne saviez pas dans quoi vous mettiez les pieds, pas vrai ? C'est ça qui vous a fait passer sur l'autre rive. Puisqu'on vous avait condamné, autant devenir coupable !

Simon ne daigna pas répondre.

— Depuis Berlin, vous avez accumulé les « exploits » douteux. Puis il y a eu ce conflit avec Hanson. Encore un coup de malchance, j'en suis sûr. Vous n'êtes pas verni, Tregarth. Espérons que ça changera ce soir.

— Où allons-nous ? Les docks ?

— Nous roulons vers le port, mais nous nous arrêterons avant. Mes clients ne voyagent pas par les moyens habituels. Que savez-vous des traditions de votre terre d'origine ?

— Matacham, Pennsylvanie, n'a aucune tradition dont...

— Je ne parlais pas d'un village minier américain, mais des Cornouailles, un pays plus vieux que le temps lui-même.

— Mes grands-parents en venaient. Je n'en sais rien de plus.

— Votre famille est de pure souche ; les Cornouailles sont vieilles, très vieilles. Dans les légendes, on les associe au pays de Galles. Le roi Arthur y a vécu ; les Romains se pressaient à ses frontières, mais les haches des Saxons les envoyèrent dans les limbes. Avant les Romains, d'autres étaient venus. Certains apportèrent les bribes d'étranges connaissances...

Le docteur se tut, guettant un commentaire de Simon. Rien ne vint.

— Je vais vous faire connaître un petit bout de votre passé, colonel. Une expérience des plus intéressantes. Mais nous voilà arrivés...

La voiture stoppa devant une ruelle sombre. Petronius ouvrit la porte.

— C'est le seul défaut de mon établissement : la ruelle est trop étroite pour la voiture. Il va falloir marcher.

Simon hésita. C'était peut-être un piège, Sammy se tenant dans l'ombre, prêt à l'égorger...

Petronius sortit une lampe électrique et la braqua devant lui.

— A peine quelques dizaines de mètres, ne vous inquiétez pas ! Suivez-moi, colonel.

Le docteur ne mentait pas. Ils débouchèrent sur un ensemble de grands immeubles : entre ces géants se nichait une petite maison.

— Un remarquable anachronisme, n'est-il pas vrai ? dit Petronius. Une ferme du XVIIIe siècle au cœur d'une ville du XXe ! Un fantôme du passé offert aux regards curieux du présent ! (Il ouvrit la porte.) Entrez, je vous prie.

Plus tard, assis devant la cheminée, un verre à la main, offert par son hôte, Simon dut admettre que Petronius avait raison. La maison était bien un fantôme. Il manquait un chapeau pointu sur la tête du docteur et une épée au côté de Tregarth pour compléter l'illusion.

— Je vais partir d'ici ? demanda Simon, dubitatif.

— A l'aube, colonel, comme je l'ai promis, il en sera fini de vos... soucis.

— D'accord, je vais partir. Mais pour où ?

— Ça, nous verrons...

— Pourquoi attendre l'aube ?

— Parce que *votre* porte s'ouvrira à ce moment-là. Il faut *croire* en mon histoire, Tregarth. Bientôt, vous aurez les preuves sous les yeux... Que savez-vous des menhirs ?

Simon jubila de pouvoir fournir une réponse que le docteur n'attendait pas.

— Ce sont des pierres... Des pierres disposées en cercle par les hommes préhistoriques...

— En cercle, oui, parfois... Mais elles avaient d'autres usages. Les légendes mentionnent certaines pierres dotées de très grands pouvoirs. La Lia Fal des Tuatha De Danaan d'Irlande, par exemple. Quand le futur roi s'y asseyait, elle criait en son honneur. Elle était un des grands trésors de ce peuple, sa pierre du couronnement. Les rois d'Angleterre, jusqu'à nos jours, ont conservé la Pierre de Scone...

« En Cornouailles existait une autre de ces pierres magiques : le Siège Périlleux. On la disait capable d'évaluer la valeur d'un homme, puis de le livrer à son destin. On raconte qu'Arthur avait découvert ses pouvoirs grâce à l'enchanteur Merlin. Il l'avait placée parmi les fauteuils de la Table Ronde. Six chevaliers l'essayèrent... et disparurent. Puis vinrent deux hommes qui connaissaient son secret : Perceval et Galahad. Eux ne disparurent pas.

— Une minute..., commença Simon.

Il était déçu. Petronius divaguait. Il ne lui restait aucun espoir d'échapper à Sammy.

— Docteur, Arthur et la Table Ronde, ce sont des contes pour enfants. Vous en parlez comme si...

— ... c'était arrivé ? Mais qui peut dire ce qui est historique ou non ? Chaque mot venant du passé est influencé par la formation, les préjugés et même l'état de santé de l'historien qui le rapporte. Les traditions ont engendré l'Histoire, colonel. Et que sont-elles, sinon des mots qui circulent de bouche à oreille ? Savez-vous combien ils peuvent être altérés en *une seule* génération ? Votre vie fut ruinée par un faux témoignage qui est devenu l'Histoire, que ça vous plaise ou non. Qui peut distinguer la vérité de la légende ? Il y a beaucoup de vrai dans les contes, et

14

bien des mensonges dans l'Histoire officielle. J'en ai la preuve irréfutable : le Siège Périlleux est bien réel !

« Certaines théories postulent l'existence d'univers parallèles : une multitude de mondes semblables au nôtre issus d'une même *branche*. Dans un de ces mondes, colonel Tregarth, vous n'êtes jamais passé en jugement. Dans un autre, vous ne m'avez pas rencontré, et vous ne manquerez pas votre rendez-vous avec Sammy !

Petronius parlait avec une telle conviction que Simon, à son corps défendant, se sentit gagné par son excitation.

— Alors, c'est aussi simple, on disparaît, et adieu les soucis ? demanda-t-il.

— Ecoutez-moi jusqu'au bout, colonel, et cessez de penser que je suis fou ! Nous avons des heures devant nous. Je peux tout vous expliquer...

Le petit homme se lança dans un long discours aux accents de folie. Simon écouta religieusement. La chaleur de la cheminée, la boisson, l'occasion de se reposer valaient bien cet effort. Même s'il devait affronter Sammy le lendemain, ce répit valait de l'or.

Quand Petronius se tut, le carillon avait sonné trois fois l'heure pleine.

Tregarth soupira. Ce flot de paroles l'avait submergé ; la tête lui tournait. Mais si c'était vrai...

Puis il y avait la réputation de Petronius...

Simon déboutonna sa chemise et ôta la ceinture où il cachait son argent.

— Je sais qu'on n'a plus entendu parler de Sacarsi et de Wolverstein après qu'ils vous ont contacté..., concéda-t-il.

— C'est vrai. Ils ont passé la porte qui leur convenait et trouvé le monde qu'ils cherchaient depuis toujours sans le savoir. Les choses se passent comme je vous l'ai dit : un homme s'assied sur le Siège Périlleux ; devant lui s'ouvre l'existence où son esprit et son cœur — son âme, si vous voulez — sont chez eux. Alors il franchit l'arche, et il part à la recherche de sa bonne fortune.

— Pourquoi ne pas avoir essayé vous-même ?

C'était le point faible de l'histoire du professeur. S'il possédait la clé d'une pareille porte, pourquoi se privait-il de l'utiliser ?

— Pourquoi, colonel ? Parce qu'il n'y a pas moyen de revenir ! Un futur irrévocable ne peut intéresser qu'un homme désespéré. En ce monde, nous aimons croire que nous contrôlons nos vies. Aucun choix ne paraît jamais définitif... Quand on traverse le miroir, c'est pour toujours ! Il y a eu beaucoup de Gardiens du Siège Périlleux. Très peu l'ont utilisé. Peut-être qu'un jour... Mais je n'ai pas encore le courage...

— Alors vous vendez vos services aux fuyards ? Une façon de gagner sa vie qui en vaut une autre... La liste de vos clients doit être fascinante !

— Et comment ! D'authentiques célébrités ont eu recours à moi vers la fin de la guerre. Vous seriez étonné par l'identité de certains de mes « voyageurs ». Que voulez-vous, leur chance avait tourné...

— La chasse aux criminels de guerre n'a pas toujours été fructueuse, admit Simon. Votre pierre a dû leur donner accès à de bien étranges mondes...

Tregarth se leva et s'étira. Il posa la ceinture sur la table et compta les billets. Bientôt, il ne lui resta plus qu'une pièce. Il la lança et la réceptionna sur le dos de sa main. Elle était retombée sur face...

Il la regarda un moment puis la ramassa.

— Celle-là, je la garde.

— Un porte-bonheur ? Je vous en prie, colonel, conservez-la. Un homme n'a jamais trop de chance...

Désolé de vous presser, mais le pouvoir de la pierre est limité. Le moment fatidique approche. Par ici, je vous en prie...

Petronius aurait pu être un dentiste l'invitant à entrer dans son cabinet. Simon se demanda s'il n'était pas complètement idiot de le suivre.

La pluie avait cessé, mais le jour n'était pas encore levé. Petronius appuya sur un bouton ; la lumière jaillit. Trois pierres grises formaient une arche à peine plus haute que Simon. Devant se trouvait une quatrième pierre, aussi mate et brute que les autres. Au-delà de l'arche, Tregarth distingua une palissade usée par le temps et une petite surface de terre battue.

Rien d'autre.

Simon serra les poings. Sammy allait lui sauter dessus, c'était couru ; voilà comment Petronius gagnait *vraiment* sa vie.

Le docteur tendit un bras vers les pierres.

— Le Siège Périlleux, colonel. Si vous voulez prendre place. C'est bientôt l'heure...

Simon s'assit. Comme rien ne se passa, il allait se lever quand Petronius cria :

— Maintenant !

Il y eut comme un tourbillon de brume dans l'arche. Quand il se dissipa, Simon aperçut une lande qui s'étendait sous le pâle soleil de l'aube. Une brise au parfum étrange vint jouer dans ses cheveux.

Elle soufflait de la lande...

— Votre monde, colonel. Je vous souhaite bien du bonheur.

Simon hocha la tête, oubliant déjà le petit homme qui continuait à lui parler. C'était peut-être une illusion, mais elle l'attirait terriblement. Sans un mot d'adieu, il se leva et franchit le portail ouvert sur la liberté et l'exil.

Il éprouva une panique intense, comme si l'Univers venait de se déchirer pour le propulser dans le néant. Il s'écroula, le visage dans la poussière.

CHAPITRE II

CHASSE SUR LA LANDE

La pâle lumière de l'aube n'annonçait pas vraiment l'apparition du soleil : un épais brouillard emplissait l'air, voilant les cieux. Tregarth se releva et jeta un regard derrière lui. Il découvrit deux colonnes naturelles de roche rouge. Pas de ville en vue ; la lande brumeuse s'étendait à l'infini. Petronius n'avait pas menti : c'était un monde inconnu de Simon.

Il tremblait. Il avait emporté son manteau, mais pas son chapeau. L'humidité plaquait ses cheveux sur son crâne. Il avait besoin d'un abri — et d'un but. Il tourna lentement sur lui-même. Aucun bâtiment à l'horizon. Avec un haussement d'épaules, il résolut de s'éloigner des colonnes. Cette direction n'était ni pire ni meilleure qu'une autre.

Le ciel se fit plus lumineux, le brouillard se dissipa, et le paysage changea subtilement. Il vit davantage de roches rouges ; le terrain devenait de plus en plus accidenté. A une distance impossible à estimer, des massifs montagneux se découpaient.

Simon réalisa qu'il avait faim. Son dernier repas remontait à plusieurs heures. Il arracha une feuille d'un buisson et la mastiqua distraitement. Le goût était fort, mais pas déplaisant.

Alors il entendit l'écho d'une chasse.

D'abord le son d'un cor. Puis des aboiements et un cri étouffé...

Simon partit au pas de course. Arrivant au bord d'un escarpement, il ralentit et se glissa entre deux rochers.

Il aperçut un bois, sur la droite. Les aboiements et les cris en provenaient.

Une femme émergea des broussailles. Elle courait. Sa foulée régulière indiquait qu'elle fuyait depuis long-temps et se savait loin de son but.

Elle regarda derrière elle, hésitante.

Simon étudia sa longue silhouette baignée par la lumière de l'aube. D'un geste impatient, la femme chassa les cheveux qui lui tombaient sur les yeux ; elle se remit à courir.

Le cor sonna de nouveau. Un concert d'aboiements lui fit écho. La jeune femme allongea sa foulée, confirmant ce que Simon suspectait : dans cette chasse à courre, elle était la proie.

Les chiens jaillirent du bois. C'étaient des bêtes élancées à la fourrure blanche ; une langue noire dardait de leurs gueules pointues.

Leur proie obliqua abruptement. Pour échapper aux chiens, il lui restait une chance : grimper jusqu'au plateau d'où Simon observait la scène.

Elle aurait peut-être réussi sans l'arrivée des chas-seurs...

Ils étaient deux, montés sur de fiers étalons. Celui qui portait un cor à l'épaule resta en selle. Son compa-gnon mit pied à terre et cria un ordre. La meute s'immobilisa.

Apercevant la jeune femme, l'homme lança la main au fourreau qui pendait à sa ceinture.

La fugitive se retourna. C'était la fin, et elle le savait. Savourant son désarroi, l'homme dégaina son arme avec un sourire mauvais.

La balle du pistolet de Simon le toucha entre les deux yeux. Il s'écroula avec un cri.

Le deuxième chasseur se mit aussitôt à couvert. Cela en disait long sur son courage ! Affolés, les chiens couraient en tous sens, emplissant l'air de leurs jappements.

Au terme d'un dernier effort, la femme prit pied sur le plateau. Simon distingua un éclair métallique dans l'air. Un carreau d'arbalète vint se ficher dans le sol, moins de deux mètres devant lui. Le deuxième chasseur entrait en lice.

Dix ans plus tôt, le colonel jouait chaque jour à ce genre de jeu, et il aimait ça. Il découvrit que son corps n'avait pas oublié les réflexes de ce temps-là. A preuve, la vitesse à laquelle il s'était jeté à l'abri.

Les chiens commençaient à fatiguer. Certains étaient couchés sur le sol, à bout de souffle. L'affaire devenait un tournoi de patience ; Tregarth n'en manquait pas. Il repéra du mouvement, derrière un buisson, et tira. Un cri s'éleva.

Averti par un craquement de brindilles, il se retourna et se trouva face à face avec la femme, dont les yeux noirs se plantèrent dans les siens. Simon fut déconcerté par l'intensité du regard de la fugitive. Quand il tenta de la tirer derrière le rocher, il sentit qu'elle résistait de toutes ses forces mentales. Elle voulait courir sur la lande, s'éloigner d'ici. Le salut se trouvait derrière eux, dans la direction d'où venait Tregarth.

Cette volonté était si impérieuse que Simon quitta son refuge et courut avec elle. Très vite, ils n'entendirent plus les aboiements des chiens...

Sa compagne avait dû courir sur des kilomètres avant leur rencontre ; il lui fallut pourtant allonger ses foulées pour la suivre. Ils arrivèrent à la frontière entre la lande et un marécage cerné de roseaux. Le vent leur apporta l'écho d'un cor de chasse. La femme sourit et désigna le marais d'un geste sans ambiguïté : c'était là qu'ils trouveraient la sécurité.

A deux cents mètres devant eux, d'épaisses volutes de brume coupaient le chemin. Simon se sentit pris de doutes. Derrière ce rideau, ils seraient *peut-être* à l'abri, mais *certainement* perdus. Bizarrement, la brume semblait sortir d'une source unique...

La femme leva le bras droit. Un rayon de lumière jaillit du bracelet de métal qu'elle portait au poignet et vint percuter la brume. De l'autre main, elle fit signe à Simon de se tenir tranquille. L'ancien colonel écarquilla les yeux ; il fut presque sûr de voir des formes sombres se déplacer dans le brouillard.

Tregarth entendit un cri, et plusieurs phrases incompréhensibles — mais le ton de défi se reconnaissait sans peine. Sa compagne répondit d'une voix mélodieuse. Ce qu'elle obtint en retour ne parut pas lui plaire. Elle sembla décontenancée un instant. Se ressaisissant, elle tendit une main à Simon. Il l'enveloppa dans la chaleur de son poing. C'était clair : on venait de leur refuser de l'aide.

— Et maintenant ? demanda-t-il.

Elle ne comprenait pas les mots, mais elle saisit leur sens.

Elle s'humidifia le bout de l'index en le portant à sa bouche et le brandit pour tester le vent. Sans lâcher la main de Simon, elle le tira vers la gauche. Ils longèrent la berge.

L'étrange brume qui dissimulait l'intérieur du marais suivit un parcours parallèle. L'estomac noué par la faim, Simon pataugeait dans la boue. Point positif, le cor ne se faisait plus entendre. Ils avaient peut-être semé les chiens.

La femme le guida jusqu'à une bande de terrain

surélevée où serpentait un chemin tassé par de nombreux passages. Sur cette voie dégagée, leur progression fut plus rapide.

Vers la fin de l'après-midi, pour autant qu'on peut estimer l'heure dans un pays au ciel uniformément gris, le chemin commença à monter. Devant eux se dressait une falaise de roche rouge trouée d'un passage large comme deux hommes. Au-delà, Tregarth aperçut une plaine où courait une rivière.

Ils étaient presque au pied de cette barrière naturelle quand leur chance tourna. Un petit animal jaillit d'un buisson et passa entre les jambes de la femme. Elle perdit l'équilibre et tomba. Avec un cri de douleur, elle saisit sa cheville droite à deux mains. Simon accourut. Ses connaissances de secouriste lui permirent d'estimer les dégâts. Pas de fracture. Mais à la manière dont elle retenait son souffle lorsqu'il manipulait l'articulation, il était évident qu'elle ne pourrait pas continuer. Le son du cor vint de nouveau mourir aux oreilles de Tregarth.

L'ancien colonel étudia la falaise. Il ôta son manteau, se débarrassa de ses chaussures lourdes de boue et testa les premières prises. Au terme d'une brève escalade, il atteignit une saillie qui, d'en bas, passait pour une ombre. Elle donnait sur une niche assez grande pour deux ; il faudrait s'en contenter.

Tregarth redescendit. Il ramassa son manteau et ses chaussures et fit signe à la femme de le suivre. L'ascension ne fut pas facile pour elle, même avec l'aide de Simon, mais ils parvinrent à gagner le refuge. Ils s'installèrent comme ils purent, si serrés qu'il sentait le souffle de sa compagne contre sa joue quand il tournait la tête.

Simon prit conscience qu'elle était à demi nue ; la pauvre tremblait de tous ses membres. Il tira son manteau sur elle — même humide, cela vaudrait mieux que rien... Elle lui sourit et il remarqua ses lèvres tuméfiées ; sans doute la conséquence d'un coup récent. Elle n'était pas vraiment belle, décida-t-il : trop maigre, trop pâle, trop triste. Un corps qui n'interpellait pas sa virilité. Quand cette pensée traversa son esprit, Simon eut le sentiment que la femme l'avait captée d'une façon ou d'une autre, et qu'elle s'en amusait.

Elle sortit les mains de sous le manteau et les posa sur ses genoux. Par instants, ses doigts caressaient le cristal ovale enchâssé dans le bracelet de sa main droite.

Sous les gémissements du vent percèrent de nouveau le son du cor et les aboiements des chiens. Simon sortit son automatique. Les doigts de sa compagne abandonnèrent le bracelet pour se poser sur l'arme, comme si elle tentait d'en définir la nature.

Plusieurs points blancs couraient sur le chemin : les chiens. Quatre cavaliers suivaient la meute ; Simon les étudia.

Leur façon d'approcher laissait penser qu'ils ne redoutaient rien. Peut-être ignoraient-ils que Tregarth avait abattu deux des leurs. Avec un peu de chance, ils pensaient encore poursuivre une fugitive désarmée.

Ils portaient des casques à crête ; d'étranges plaques de métal percées de fentes dissimulaient la partie supérieure de leurs visages. Ils étaient vêtus de tuniques lacées de la taille à la gorge. A leurs larges ceintures de cuir étaient accrochés les fourreaux de leurs dagues et de leurs épées, ainsi que diverses bourses et d'autres objets difficiles à identifier. Des hauts-de-chausses et des bottes montantes complétaient leur accoutrement. Le tout faisait penser à un uniforme.

Les chiens s'arrêtèrent au pied de la falaise ; quelques-uns se dressèrent sur les pattes arrière pour essayer de grimper. Au souvenir du carreau qui s'était fiché à ses pieds, Simon décida de tirer le premier.

Le chasseur de tête bascula de selle ; son pied droit se coinça dans un étrier. Sa monture partit au galop, traînant son corps sur la piste. Tregarth tira une seconde fois. Un autre chasseur fut touché au bras. Il se réfugia derrière un rocher avec ses deux compagnons.

Les chiens s'étaient tus. Simon les étudia, de plus en plus inquiet. Il connaissait ce genre d'animaux : des tueurs redoutables, comme les bergers utilisés dans les camps de prisonniers. Ceux-là attendaient, prêts à bondir. Il aurait pu les tuer l'un après l'autre, comme au stand de tir.

Mais quel gaspillage de munitions !

Tregarth bougea légèrement. Un chien se mit à grogner et posa les pattes avant sur la roche. Une main ferme entoura l'avant-bras de l'ancien colonel et le tira hors de vue. De nouveau, Simon capta un message grâce à ce contact physique. Aussi compromise que semblait leur situation, sa compagne n'avait pas perdu espoir. Il en déduisit qu'elle attendait quelque chose.

Pouvaient-ils grimper jusqu'au sommet de la falaise ?

Comme si elle avait lu dans ses pensées, la femme secoua la tête en signe de dénégation.

Le calme était revenu dans la meute. Quelque part à l'abri des rochers, les chasseurs devaient préparer une offensive. Simon était un tireur d'élite, mais la tombée de la nuit jouait en faveur de ses adversaires.

Il serra plus fort l'automatique, attentif au moindre bruit. La femme sursauta, étouffant une exclamation. Tregarth tourna la tête vers elle.

A la lumière du crépuscule, une ombre rampait le long de l'arête de la saillie. Profitant de la surprise de Simon, la femme lui arracha l'arme des mains et, la tenant par le canon, l'abattit sur la créature.

Un cri perçant retentit pour s'achever dans un gargouillis. Simon récupéra son arme. Quand il l'eut de nouveau en main, il regarda le petit animal à demi écrasé par sa compagne : une fourrure blanche, une tête plate à la gueule garnie de minuscules dents, des yeux rouges... Les apercevant, Simon frissonna : il s'y lisait une certaine *intelligence*. La créature agonisait. Pourtant, elle tentait d'atteindre la femme, les griffes prêtes à s'enfoncer dans ses chairs.

Avec une grimace de dégoût, Tregarth poussa la bête de la pointe du canon. Elle s'écrasa au milieu des chiens.

Il les vit s'écarter et reculer comme s'il venait de lancer une grenade. La femme éclata de rire, une lueur de triomphe dans les yeux. Simon se pencha davantage pour observer le pied de la falaise.

L'animal tué par sa compagne était-il allié aux chasseurs ? La réaction des chiens, toujours à distance du petit cadavre, semblait indiquer le contraire. Pour le moins, s'ils chassaient avec la créature, ce n'était pas par choix. Enregistrant ce nouveau mystère — un de plus ! —, Simon se prépara à une nuit sans sommeil. Si l'attaque du petit animal avait un rapport avec les cavaliers, une autre tentative était prévisible dans les heures suivantes...

Un long moment passa, sans aucun signe d'une action ennemie. Les chiens étaient couchés en cercle ; Simon les repérait à leur fourrure blanche. Une nouvelle fois, il envisagea de grimper jusqu'au sommet de la falaise — hélas, avec sa cheville blessée, la femme n'en serait pas capable...

Sa compagne attendit pour agir que la nuit soit tout à fait tombée. Elle effleura du bout des doigts le poignet de Tregarth. Instantanément, une image se forma dans son esprit. Un couteau : elle voulait un couteau ! Il sortit son canif, qu'elle lui arracha des mains.

Simon ne comprit rien à ce qui suivit, mais jugea sage de ne pas intervenir. Le cristal enchâssé dans le bracelet luit faiblement. La femme se piqua le bout du pouce avec la pointe du canif ; une goutte de sang perla. La fugitive plaça son doigt à l'aplomb du cristal. Le sang tomba, cachant une seconde la maigre lueur.

Le cristal diffusa une lumière plus brillante, presque comme un jaillissement de flammes. La femme laissa échapper un gloussement de satisfaction. La lumière disparut très vite. La compagne de Simon posa ses mains en croix sur l'automatique. Il comprit le message : l'arme n'était plus nécessaire, de l'aide allait venir.

Un vent glacial soufflait. La femme tremblait de nouveau. Simon passa un bras autour de ses épaules et la tira vers lui pour la réchauffer. Un éclair semblable à une épée de feu déchira le ciel.

CHAPITRE III

SIMON REPREND DU SERVICE

Un autre éclair éventra le ciel, juste au-dessus de la falaise. Il fut suivi d'une tempête comme Simon n'en avait jamais vu. Il avait traversé les batailles les plus horribles, mais la fureur des éléments, à ce paroxysme, semblait plus redoutable. Peut-être parce qu'il n'y avait personne pour commander à ce cauchemar fait d'éclairs, de coups de tonnerre et de bourrasques...

Des rochers s'éboulèrent ; ils passaient devant eux en ricochant. Un roulement continuel assourdissait Tregarth et sa compagne, blottis comme des animaux effrayés. Ce n'était pas le grondement habituel du tonnerre, mais le son d'un tambour géant qui résonnait jusque dans les os de Simon.

Cette torture dura une éternité. La foudre tomba près de la falaise, la faisant trembler sur sa base. Bizarrement, il ne pleuvait pas.

Un dernier éclair laissa Simon sourd et aveugle pendant quelques secondes. Le vent cessa ; une odeur de chair brûlée empesta l'air. Une lueur proche marquait l'emplacement d'un feu de broussailles.

La femme se libéra de l'étreinte de Simon. Il capta chez elle un sentiment de triomphe.

Tregarth se demanda si les chasseurs et les chiens avaient survécu. A la lumière du feu, il aperçut plusieurs taches blanches sur le sol. Un peu plus loin gisait le cadavre d'un cheval, le bras d'un homme dépassant de son encolure.

La femme se pencha et observa attentivement la scène. Sans que Simon puisse esquisser un geste, elle quitta leur abri et dévala la pente. L'ancien colonel la suivit, prêt à passer à l'action. Mais il n'y avait que des cadavres.

Les flammes réchauffèrent les deux fugitifs. Simon examina les chiens, à demi carbonisés par les éclairs. Puis il s'approcha du cheval pour récupérer les armes de son cavalier.

Les doigts de l'homme bougèrent sur la peau roussie de la bête.

Le chasseur était sûrement blessé à mort. Simon se souciait peu de son sort, après des heures de fuite sur la lande et le long du marécage. Mais il ne pouvait pas laisser un homme mourir ainsi. Bandant ses muscles, il le dégagea et le tira à la lumière, curieux de savoir à quoi il ressemblait.

Le visage maculé de sang du chasseur ne portait plus trace de vie. Et pourtant, sa poitrine meurtrie se soulevait irrégulièrement. Il gémissait. Ses cheveux coupés court étaient très blonds, presque blanc argenté. Le nez crochu dominant ses joues poupines créait un contraste relativement rare. Malgré son teint cireux, Simon jugea qu'il était plutôt jeune... L'opulence de ses habits et la pureté de la gemme qui ornait la broche de son col suggéraient qu'il n'était pas simple soldat. Incapable de soulager ses blessures, Simon s'intéressa aux armes accrochées à sa ceinture.

Il s'appropria la dague sans remords ; puis il s'aperçut que ce qu'il avait pris pour une épée n'en n'était pas une. Il sortit l'arme du fourreau : elle avait un canon et un dispositif qui ne pouvait être qu'une détente. La « crosse » était tout sauf ergonomique, l'équilibre global détestable. Ce pistolet primitif tirait des carreaux non empennés propulsés par un système de ressorts. Pour l'armer, il fallait une sacrée force.

Tregarth allait saisir l'objet suivant, un petit cylindre, quand une main blanche le lui subtilisa.

Le chasseur remua ; le contact de la femme l'avait ramené à la conscience. Il ouvrit les yeux : Simon recula d'instinct, frissonnant.

Il avait rencontré des hommes dangereux, qui voulaient sa mort et l'auraient égorgé sans la moindre émotion. Il avait connu des assassins monstrueux et des sadiques ; jamais il n'avait vu autant de haine dans un regard.

Il s'aperçut que cette haine ne lui était pas adressée. Elle visait la femme, occupée à faire tourner le petit cylindre entre ses mains.

Simon tourna la tête : impassible, sa compagne regardait le chasseur. La bouche de l'homme se tordit ; il tendit le cou au prix d'un terrible effort et cracha vers la femme. Ce dernier témoignage de haine l'ayant épuisé, il ouvrit grands les yeux et sa mâchoire inférieure s'affaissa. Sa tête retomba.

Simon n'eut pas besoin de le toucher pour savoir qu'il était mort.

— Alizon..., dit la femme, regardant le cadavre, puis Simon. Alizon...

Elle désigna l'emblème cousu sur la tunique du mort.

— Alizon, répéta Simon en se relevant.

La femme lui tourna le dos et tendit une main vers la plaine, de l'autre côté de la passe.

— Estcarp, dit-elle.

Elle ramena la main sur sa poitrine.

— Estcarp..., répéta-t-elle.

Comme répondant à un signal, un cor sonna de

l'autre côté de la passe. La femme cria quelque chose ; des mots que le vent emporta.

Simon entendit un bruit de sabots, de métal frottant contre le métal. Dans sa poche, sa main se referma sur la crosse de son automatique. Il pointa le canon vers la passe, prêt à toute éventualité.

Deux cavaliers émergèrent, armes au poing. Dès qu'ils virent la femme, ils la saluèrent. Simon se détendit : c'étaient des amis.

Un troisième homme apparut, monté sur un immense cheval à l'encolure musculeuse. Le cavalier semblait si petit que Simon crut qu'il s'agissait d'un adolescent — jusqu'à ce qu'il mette pied à terre.

A la lumière des feux brillaient des diamants enchâssés dans le casque, la ceinture et les bracelets du petit homme. Pour sûr, il avait les jambes courtes ! Mais la largeur de ses épaules impressionnait Tregarth, pourtant revenu de tout. Ses bras et sa poitrine valaient ceux d'un gaillard trois fois plus grand.

Il approcha. Simon constata que sa première impression n'était pas si fausse : il était jeune, très jeune...

Mais redoutable. Il interrogea la femme, qui répondit d'un flot de paroles ponctuées de grands gestes. Quand elle eut fini, le guerrier salua Simon. La femme semblait avoir un grand pouvoir sur lui.

— Koris, dit-elle, pointant un doigt sur la poitrine du nouveau venu.

— Tregarth, Simon Tregarth, dit-il, persuadé qu'elle allait se nommer aussi.

— Tregarth, Simon Tregarth, répéta-t-elle en articulant chaque syllabe.

— Qui ? demanda-t-il, pointant un doigt sur elle.

La main de Koris se porta sur la crosse de son arme. La femme fronça les sourcils. Simon comprit qu'il avait commis un impair.

— Désolé, dit-il, les mains tendues.

S'il avait offensé la fugitive, c'était par ignorance. Elle dut le comprendre, car elle gratifia le jeune officier d'une longue explication. Malgré ça, il continua à regarder Tregarth d'un œil mauvais.

Nouvel indice de sa déférence, Koris fit monter la femme derrière lui. Simon partagea le cheval d'un garde. La petite colonne traversa la passe au trot...

Bien plus tard, Simon se retrouva étendu dans un lit de fourrure, les yeux grands ouverts. Il avait dû s'endormir comme une masse. Il passait en revue les événements de la journée. Une vieille habitude d'aventurier...

Estcarp était bien plus qu'une plaine et une rivière. C'était une succession de forts semés au long d'une route marquant une frontière. Dans ces postes avancés, ils avaient changé de chevaux et s'étaient nourris avant de repartir à la hâte, poussés par une urgence que Simon ne comprenait pas. Leur destination ? Une citadelle où vivaient des hommes aux yeux et aux cheveux noirs, comme lui. Des hommes à la stature de chef qui semblaient porter sur leurs épaules le poids des ans...

Le poids de l'*éternité*, pour être plus précis...

Simon avait traversé la passe dans un tel état de fatigue qu'il n'avait glané que des bribes d'information au cours du voyage. La sensation dominante était bien celle d'*éternité*. Il connaissait les plus vieilles cités d'Europe. Il avait vu des voies foulées jadis par les légions romaines : rien de comparable à la vertigineuse *ancienneté* de ce monde.

La citadelle était une massive structure de pierre dotée de la solennité d'un temple et des défenses d'un fort. Simon se souvenait à peine de Koris le conduisant dans la chambre, lui montrant le lit...

Puis, plus rien !

Vraiment plus rien ?

Simon fronça les sourcils. Koris, cette chambre, le lit... Regardant les sculptures des bois de la couche — des entrelacs de symboles —, il leur trouva quelque chose de familier, comme s'il lui eût suffi d'un effort pour en comprendre le sens.

Estcarp : une manière de vivre, une ville et un pays très anciens, immémoriaux... Simon sursauta. Comment savait-il ça ?

Il le *savait*, simplement...

Il reprit le cours de ses pensées.

Les soldats qui gardaient la frontière étaient tous coulés dans le même moule : grands, noirs d'yeux et de cheveux, et superbement fiers. Seul Koris se distinguait du lot. Mais ses ordres étaient obéis, même si la femme avait de toute évidence plus de pouvoir.

Tregarth s'assit dans son lit. Aussi discret fût-il, il avait entendu le marcheur qui approchait. Les sens en alerte, il vit entrer l'homme à qui il pensait : Koris.

Sans armure, il semblait encore plus étrange. Ses épaules trop larges et ses bras trop longs écrasaient le reste de sa silhouette. Sa taille, relativement fine, et ses jambes grêles paraissaient d'autant plus atrophiées. Son visage appartenait à l'homme qu'il aurait pu être si la nature ne lui avait pas joué un vilain tour. Ses cheveux blonds encadraient une beauté d'éphèbe. Mais le pli de la bouche attestait d'une profonde amertume. Ce n'était pas étonnant : Koris avait le visage d'un Apollon et le corps d'un singe !

Simon sortit du lit et se mit debout, navré de devoir forcer le guerrier à le regarder d'en bas. Avec l'agilité d'un chat, Koris recula et se percha sur un banc de pierre, sous une meurtrière. Il pouvait ainsi regarder Tregarth d'égal à égal. Avec une grâce étonnante, il désigna une pile de vêtements posée sur un fauteuil.

Simon nota que ce n'était pas son costume. Mais il vit autre chose, qui le rassura. A côté étaient soigneusement rangés son automatique et ses objets personnels. Il n'était pas prisonnier...

Simon passa des hauts-de-chausses bleu marine semblables à ceux de Koris. Une fois ses bottes enfilées, il se tourna vers le petit homme et lui fit comprendre par signes qu'il voulait se laver.

Pour la première fois, un semblant de sourire dansa sur les lèvres de Koris. Il désigna une alcôve. La forteresse d'Estcarp semblait moyenâgeuse, mais ses habitants avaient une conception moderne de l'hygiène. Un tuyau crachait de l'eau quand on actionnait un levier ; Simon avisa une jarre d'onguent aux doux arômes. Il s'en passa sur le visage, puis s'essuya : plus la moindre trace de barbe ! Ces ablutions furent l'occasion d'un nouveau cours de langue, patiemment dispensé par Koris.

L'officier le traitait avec une stricte neutralité. A part les leçons de vocabulaire, il ne faisait aucun effort pour sympathiser. Quand Simon entreprit de revêtir une tunique, il se planta devant une fenêtre pour admirer le ciel.

Simon prit l'automatique. L'autre se souciait comme d'une guigne qu'il soit armé. Sans chercher à comprendre, il glissa l'arme dans sa ceinture, puis signifia à Koris qu'il était prêt à sortir.

Ils suivirent un couloir et s'engagèrent dans un escalier éclairé par la pâle lumière de globes accrochés loin au-dessus de leurs têtes. Simon ne comprit pas ce qui *produisait* cette lumière.

Ils arrivèrent dans une vaste salle où ils croisèrent

plusieurs hommes. Des gardes, vêtus de cottes de mailles, et d'autres, en habits « décontractés », comme Simon. Tous saluèrent Koris et dévisagèrent l'étranger avec une sombre curiosité qu'il trouva déconcertante. Aucun ne parla. Koris fit signe à Tregarth de le suivre sous une arche qui donnait sur une autre salle.

Les murs étaient couverts des mêmes symboles, mi-familiers mi-inconnus, que couvraient les bois du lit. Une sentinelle gardait une alcôve.

Deux femmes y attendaient Simon — les premières qu'il voyait dans la forteresse. Il lui fallut un moment pour reconnaître celle qui était debout, la main droite posée sur le dossier d'un fauteuil : c'était sa compagne de fuite, la fille au bracelet !

Avec ses cheveux tenus en bon ordre par une résille d'argent et la robe qui la couvrait du cou aux chevilles, elle n'évoquait plus vraiment la femme traquée qu'il avait secourue. La seule touche de fantaisie était la présence d'un cristal pareil à celui de son bracelet. Mais celui-ci pendait à une chaîne passée à son cou.

— Simon Tregarth ! dit la femme assise dans le fauteuil.

Il tourna la tête vers elle. Elle ressemblait beaucoup à l'autre : même forme de visage, mêmes yeux, même coiffure. Mais la puissance qui se dégageait d'elle était formidable. Simon n'aurait pu préciser son âge. Il n'aurait pas été surpris d'apprendre qu'elle avait assisté à la construction de l'antique citadelle.

D'une main, elle envoya une boule de cristal à Tregarth. C'était le même matériau que celui du bijou de la fugitive...

Simon bloqua la boule. Dans la paume de sa main, elle était chaude, et non glacée comme il s'y attendait. Il ouvrit le poing et conserva la boule dans ses mains en coupe.

Les deux femmes baissèrent les yeux sur leurs pendentifs.

Simon ne s'expliqua jamais ce qui se passa alors. Dans son esprit, l'enchaînement de circonstances qui l'avait amené à Estcarp se projeta comme sur un écran. Les deux femmes, il le savait, voyaient ce qu'il voyait et partageaient ses émotions. Quand ce fut fini, un flot d'informations submergea son cerveau : les deux femmes lui rendaient la pareille.

Il se trouvait dans la capitale d'une contrée menacée et peut-être promise à la destruction. L'immémoriale terre d'Estcarp avait des ennemis au nord et au sud ; même à l'est, l'océan pouvait lui réserver de mauvaises surprises. Le peuple aux yeux et aux cheveux noirs avait hérité d'antiques connaissances et résistait courageusement. La cause pouvait être sans espoir ; hommes et femmes lutteraient quand même jusqu'au dernier.

L'étrange sentiment qui avait poussé Simon à franchir l'arche de Petronius l'étreignit de nouveau. Les deux femmes ne lui demandaient rien : leur fierté les en empêchait. Simon jura pourtant allégeance à celle qui était assise et qui lui avait ouvert son esprit. Sans un mot, avec l'enthousiasme d'un gamin, Simon Tregarth, homme perdu s'il en fut, s'engagea dans la garde d'Estcarp.

CHAPITRE IV

FORT SULCAR APPELLE À L'AIDE

Simon porta sa chope à ses lèvres. Il regarda ses compagnons avant de boire. Au début, il avait trouvé les gens d'Estcarp sinistres, voyant en eux les derniers représentants d'un peuple reclus dans le souvenir de gloires révolues. Ces dernières semaines, il avait changé d'avis. Ce soir, dans la salle d'armes où il se reposait, il prenait grand plaisir à contempler les fiers visages de ses nouveaux compagnons.

Leurs armes étaient plutôt étranges, il fallait l'avouer. Simon n'avait jamais pratiqué l'escrime. Il lui faudrait beaucoup de leçons. Mais les pistolets à carreaux — pareils à celui du chasseur mort — ressemblaient assez à son automatique pour le rassurer. Jamais il ne serait un aussi bon guerrier que Koris. (Son respect pour les talents du jeune homme n'avait pas de limites.) Mais il était assez expert en tactique militaire « exotique » — aux yeux des hommes de ce temps — pour gagner l'intérêt et le respect du taciturne commandant.

Tregarth s'était demandé s'il allait être bien reçu par les gardes. Ces hommes menaient un combat désespéré : chaque étranger pouvait être un ennemi, une faille dans leur défense. Mais l'ancien colonel ne connaissait pas encore les coutumes d'Estcarp. De toutes les nations de ce continent, c'était la seule apte à accueillir un homme pourvu d'une histoire comme la sienne. Et pour cause : le pouvoir de ce peuple millénaire reposait sur la magie !

Simon connaissait de nombreux sens au mot magie. Ici, il ne s'agissait pas de trucs à dix sous ou de pièges à gogo. Il existait une véritable *puissance*. La volonté, l'imagination et la foi étaient les clefs de la magie d'Estcarp. Et il y avait certains moyens de *focaliser* ces qualités. L'important restait que ce peuple, par nature, était ouvert aux choses invisibles, aux mondes virtuels... et aux fugitifs du XXe siècle.

La crainte et la haine des pays voisins avaient la magie pour unique cause ! Pour Alizon, au nord, et Karsten, au sud, les Sorcières d'Estcarp étaient le mal absolu. De fait, les « matriarches » du pays disposaient d'un formidable pouvoir et n'hésitaient pas à l'utiliser quand on les provoquait.

La femme qu'il avait sauvée était une jeune sorcière envoyée en Alizon pour devenir les yeux et les oreilles de son peuple.

Une sorcière ! Toutes les femmes d'Estcarp n'avaient pas le Pouvoir. C'était un talent congénital. Les fillettes qui le possédaient étaient conduites à la capitale, où elles effectuaient leur apprentissage et prononçaient leurs « vœux ». Nul ne savait leur nom. Dans le monde des arcanes et des runes, qui connaît l'identité d'une sorcière détient un terrible pouvoir sur elle. Quand il apprit cela, Simon réalisa l'énormité de sa gaffe, le premier jour, au pied de la falaise.

Le Pouvoir n'était pas aisé à manier. S'en servir au-delà d'un certain point pouvait devenir dangereux. On n'en disposait pas à volonté, et il arrivait qu'il fasse défaut au moment le plus inopportun.

Malgré ses sorcières et leur savoir, Estcarp comptait

sur des hommes et des forteresses pour assurer sa
défense.

Quelqu'un s'assit sur la chaise vide, à côté de Simon.
Un casque s'abattit sur la table et un bras étrangement
long s'empara d'une chope.

— Salut, soldats ! Il fait plutôt chaud, pour la
saison !

Koris but pendant qu'un concert de questions montait
de la table. La discipline existait dans les forces d'Estcarp ; une fois le service terminé, il n'existait pas de
caste. Hommes de troupe et officiers brisaient souvent
le pain de l'amitié. Ce soir, les soldats étaient avides
de nouvelles.

— Vous entendrez le son du cor avant la fermeture
des portes, dit Koris. J'en suis sûr. Magnis Osberic est
arrivé ce matin par la route de l'ouest. A mon avis,
Gorm fait de nouveau des siennes...

Un lourd silence suivit ses paroles. Tous, y compris
Simon, savaient ce que signifiait ce pays pour leur
capitaine : il aurait dû en porter la couronne !

Sa tragédie personnelle avait commencé au jour de
sa naissance. Mais elle avait connu son apothéose
quand, seul et blessé, il avait dû fuir l'île dans une
barque de pêcheur qui prenait l'eau.

Hilder, Seigneur Protecteur de Gorm, avait livré
bataille sur les landes qui séparaient Alizon des plaines
d'Estcarp. Coupé de ses hommes, il était tombé de son
cheval, se fracturant un bras. Souffrant le martyre,
brûlant de fièvre, il s'était perdu sur le territoire des
Tors, l'étrange race qui défendait le marécage.

Personne n'avait jamais su pourquoi le Seigneur
Protecteur n'avait pas été taillé en pièces, ou au moins
expulsé. Son histoire était restée secrète, même après
son retour à Gorm, des mois plus tard, guéri et nanti
d'une épouse. Les hommes de Gorm — plus probable-

ment les *femmes* de Gorm ! — s'étaient indignés de ce mariage, murmurant qu'on l'avait imposé à leur seigneur en échange de sa vie. A dire vrai, l'épouse qu'il avait ramenée manquait de grâce et, étant une Tor pur-sang, affichait un état d'esprit des plus bizarres.

Elle prit le temps de mettre Koris au monde, puis disparut. Etait-elle morte, ou revenue chez les siens ? Personne n'en avait cure ! Hilder avait dû savoir, mais il n'avait jamais plus prononcé son nom. Le peuple de Gorm ne lui en avait pas tenu rigueur...

Koris était resté là, avec son visage de noble gorm et son corps de monstre des marais. Quand Hilder avait pris une seconde femme, Orna, la très séduisante fille d'un riche armateur, Gorm s'était de nouveau mise à murmurer... et à espérer. La naissance d'Uryan, second fils de Hilder et Gorm pur-sang, avait été saluée avec enthousiasme.

Hilder avait fini par mourir. Il y avait mis le temps, laissant à ceux qui *murmuraient* le loisir de se préparer. Les malins qui pensaient utiliser Orna et Uryan à leur avantage en furent cependant pour leurs frais. La fille de l'armateur n'était pas facile à abuser. Uryan étant haut comme trois pommes, elle réclamait la régence. De nombreux citoyens s'y opposaient. Elle avait voulu les convaincre par une démonstration de force.

Orna n'avait pas son pareil pour résister aux nobles de Gorm. En matière de politique extérieure, elle ne valait pas grand-chose. Cherchant de l'aide, elle avait livré sa nation à la férocité de la flotte de Kolder.

Kolder était située de l'autre côté de la mer ; un marin sur dix mille aurait pu dire où. Car les hommes honnêtes, ou simplement *humains*, s'en tenaient aussi loin que possible. Il était notoire que les Kolderiens ne ressemblaient pas aux autres êtres vivants : entrer en contact avec eux revenait à se damner.

La mort de Hilder avait été suivie d'une nuit de terreur. Grâce à sa force surhumaine, Koris avait échappé aux pièges qu'on lui avait tendus.

Puis il n'y avait plus eu que la mort : quand les Kolderiens étaient entrés en Gorm, le pays avait cessé d'exister. Aujourd'hui, tous ceux qui avaient connu le temps du seigneur Hilder étaient morts. Car Kolder *était devenue* Gorm.

Suite à ces événements, une nouvelle cité nommée Yle était sortie de terre sur la côte continentale. Aucun homme d'Estcarp ne s'y serait rendu de son plein gré.

Yle se dressait comme un gigantesque obstacle entre Estcarp et ses seuls alliés de l'ouest — les marchands de Fort Sulcar. Avec la bénédiction d'Estcarp, ces guerriers-camelots avaient construit leur forteresse sur un bras de terre pénétrant loin dans la mer : leur tremplin pour visiter le monde. Ces commerçants de talent étaient aussi de redoutables combattants qui pouvaient se promener partout sans crainte. Les soldats d'Alizon et de Karsten s'adressaient à eux avec humilité ; les défenseurs d'Estcarp les tenaient pour des frères d'armes.

— Magnis Osberic n'est pas homme à se déplacer pour rien, fit remarquer Tunston, un des sous-officiers de la garnison. Nous ferions mieux de nous préparer. (Il se leva et s'étira.) Si Fort Sulcar demande de l'aide, il faudra accourir !

Simon se remémora les cartes qu'il avait étudiées ces dernières semaines. Grâce à son entraînement de commando, elles s'étaient gravées dans son esprit.

Le bras de terre qui abritait Fort Sulcar formait un arc de cercle qui circonscrivait une large baie. Le fort des marchands faisait face à Aliz, le port principal d'Alizon. Plusieurs miles de mer séparaient les deux cités. L'île de Gorm se trouvait à l'intérieur de la baie ; Simon se représenta l'emplacement exact de Sippar, la capitale.

Yle était située sur la côte continentale, au sud-ouest, face à l'océan. Plus loin, une ligne de falaise s'étendait jusqu'au duché de Karsten. Aucun bateau ne pouvait y accoster. Avant l'annexion de l'île par Kolder, la baie de Gorm était pour Estcarp la meilleure ouverture sur l'océan.

— Il n'y a bien qu'une route pour Fort Sulcar ? demanda Simon au terme de sa réflexion.

Avec Yle au sud et Gorm au nord, les troupes des deux places fortes kolderiennes pouvaient aisément couper la route de Fort Sulcar.

— Oui, répondit Koris, il n'y a qu'une route, vieille comme le monde ! Nos ancêtres n'avaient pas prévu l'invasion de Gorm par Kolder. Pourquoi diable l'auraient-ils fait ? Pour qu'elle soit sûre, cette route, il faudrait écraser Sippar comme un moustique ! On soigne une maladie en s'attaquant à sa cause, pas à la fièvre qui en est le symptôme. Hélas, nous ne savons rien des faiblesses de la ville...

— Un espion pourrait..., commença Tregarth.

Koris eut un rire sans joie.

— Vingt hommes sont allés d'Estcarp à Gorm. Des braves qui ont accepté de changer d'apparence sans savoir s'ils reverraient un jour leur véritable visage dans un miroir. Ils étaient protégés par tous les sorts possibles. Pour quel résultat ? Rien du tout ! Les Kolderiens ne sont pas des hommes ordinaires : nous ne savons rien de leurs moyens de détection, sinon qu'ils sont infaillibles. La Gardienne a fini par interdire ces missions ; trop de Pouvoir gaspillé pour des échecs répétés ! J'ai essayé d'y aller, mais un sort m'en empêche. Retourner en Gorm signifierait ma mort ; vivant, je suis plus utile à Estcarp. Bref, nous ne pourrons pas ouvrir la route tant que Sippar ne sera pas tombée, et nous ne savons pas comment lui porter un coup fatal !

— Et si Fort Sulcar est menacé ?

— Alors, Simon, nous partirons ! Il y a une chose étrange avec les Kolderiens : sur leur territoire, ou sur leurs vaisseaux, ils sont invincibles ; loin de leur base, c'est différent. Les chances ne sont pas énormes. Mais avec les hommes de Sulcar à nos côtés, elles restent raisonnables.

— Je viens avec vous, laissa tomber Simon sur un ton sans réplique.

Jusque-là, il s'était résigné à attendre et à apprendre. Il était « retourné à l'école » avec la patience péniblement acquise au cours des sept dernières années. Il n'avait pas le choix : tant qu'il ne maîtriserait pas l'art de survivre dans ce pays — et sa langue, assimilée étonnamment vite —, il était vain de rêver d'indépendance. Parfois, lors des gardes de nuit, il se demandait si le Pouvoir des sorcières n'était pas pour quelque chose dans sa relative docilité. Si c'était le cas, le charme devait décliner. Il brûlait de voir autre chose que les murs de la ville. Si Koris ne voulait pas de lui, c'est seul qu'il partirait.

— Ça ne va pas être une partie de plaisir, dit le capitaine.

— Me prends-tu pour le genre d'homme à chercher les victoires faciles ?

— Non, Simon. Mais je m'inquiète : tu te sers à peu près bien des pistolets, mais à l'épée, tu es à peine meilleur qu'un garçon d'étable de Karsten.

Simon encaissa la plaisanterie sans broncher. Elle n'était que trop vraie. Au pistolet, il se savait capable d'en remontrer aux meilleurs tireurs de la garnison. Son habileté au corps à corps — le fameux *close-combat* — lui avait valu l'admiration de ses camarades, et une réputation qui commençait à gagner les forts de la frontière. A l'épée, sa maladresse confinait au pathétique. Quant à la masse d'arme, il parvenait à peine à la soulever...

— Alors j'aurai un pistolet... Mais je viens !

— D'accord. Voyons d'abord si nous allons vraiment prendre la route...

Cela devait se décider lors du « conclave » où Koris, ses officiers et les sorcières de la forteresse étaient convoqués. Simon n'avait pas la première raison d'y assister. Mais il suivit le capitaine, et personne n'essaya de l'empêcher d'entrer. Il s'assit sur un banc, sous une meurtrière, et étudia l'assemblée.

La Gardienne qui gouvernait Estcarp présidait. C'était la femme qui l'avait « questionné » le lendemain de son arrivée. Derrière sa chaise se tenait la sorcière pour qui il avait combattu les chasseurs d'Alizon. Cinq autres matriarches étaient présentes. A voir leurs visages déterminés, Simon se félicita d'être dans leur camp.

Devant elles se tenait un homme à l'écrasante prestance. En toute autre compagnie, il eût dominé la réunion. Les hommes d'Estcarp étaient grands et musclés. A côté de lui, ils passaient pour des gamins. On aurait pu forger deux boucliers avec le métal de son armure de buste. Ses épaules et ses bras valaient ceux de Koris.

Le reste de son corps était à l'avenant...

Son menton était glabre, mais une fière moustache barrait sa lèvre supérieure. Sur son casque, une gueule d'ours admirablement ciselée montrait les dents. Simon songea que le gaillard avait en effet des points communs avec un grizzly.

— Fort Sulcar s'en tient à la paix des marchands. (Eu égard à la petite taille de la salle, il tentait de contenir sa voix. En vain : on eût dit un roulement de tonnerre !) Nous la défendons avec nos épées, si besoin est. Mais contre les thaumaturges de la nuit, à quoi sert l'acier ? (Il s'adressa directement à la Gardienne, à la manière d'un bonimenteur de foire.) A chaque homme son ciel et son enfer. Les gens d'Estcarp n'ont jamais voulu imposer leurs croyances aux autres. Les Kolderiens n'ont pas ce respect : ils attaquent, et les autres n'existent plus. Je te le dis, Gardienne, notre monde mourra si nous ne nous unissons pas pour endiguer ce raz de marée !

— Seigneur marchand, connais-tu un seul homme né du ventre d'une femme qui puisse commander aux flots ?

— Leur commander, non, mais les *chevaucher*, oui ! C'est *ma* magie, Gardienne. Mais il n'y a pas moyen de dompter Kolder, qui menace d'attaquer Fort Sulcar. Les gouvernants d'Alizon se croient capables de résister seuls ; ils connaîtront le même sort que Gorm. Les hommes de Fort Sulcar combattront. S'ils succombent, le raz de marée fondra sur Estcarp, ma dame. On dit que tu commandes au vent et à la tempête, et que tu connais des sorts qui modifient l'apparence et l'esprit d'un homme. Gardienne, ta magie peut-elle s'opposer à Kolder ?

— Magnis Osberic, ma seule réponse est : je n'en sais rien. Nous ne connaissons pas Kolder — ses murs sont infranchissables. Pour le reste, je suis d'accord avec toi. Il est temps d'agir. Capitaine Koris, qu'en penses-tu ?

Le beau visage du guerrier difforme ne perdit pas son expression amère, mais ses yeux s'illuminèrent.

— Je dis : utilisons l'épée tant que nous le pouvons encore ! Partons pour Fort Sulcar !

— Les soldats d'Estcarp vont voler au secours de Fort Sulcar, dit la Gardienne. Une des nôtres les accompagnera. Que le Pouvoir puisse vous aider !

Elle n'esquissa pas un geste, mais la sorcière que Simon avait secourue avança d'un pas. Ses yeux noirs inspectèrent l'assistance jusqu'à découvrir l'ancien colonel. Alors l'ombre d'un sourire passa sur les lèvres de la femme.

Simon réalisa qu'il existait un lien entre eux. C'était étrange : leurs vies semblaient suivre un même chemin jusqu'à l'endroit, terrible, où quelque chose les attendait depuis toujours.

Quand ils sortirent de la ville, l'après-midi, Simon et elle chevauchèrent côte à côte. Comme les hommes, elle portait une cotte de mailles et un casque. A sa hanche pendaient une épée et un pistolet.

— Ainsi, guerrier d'un autre monde, nos chemins se croisent à nouveau, dit-elle assez bas pour que lui seul entende.

— Espérons être les chasseurs et non les proies.

— J'ai été trahie, en Alizon. Comme je n'avais pas d'arme, il fallait bien courir...

— Aujourd'hui, tu portes une épée et un pistolet...

— Oui, Simon Tregarth... Mais ce ne sont pas mes seules armes ! Tu avais raison, tantôt : nous allons honorer un bien sombre *rendez-vous*.

— Tu prédis l'avenir, ma dame ? railla Simon.

Il croyait plus facilement à l'acier qu'aux runes et aux incantations. Un vieux conditionnement de soldat.

— Oui, Simon, je le prédis... Je ne t'ai pas ensorce-lé, et je ne t'engage dans aucune quête, étranger. Mais je sais ceci : nos deux lignes de vie ont été mêlées par la main de la Grande Gardienne. Ce que nous voulons et ce qui *sera* sont deux choses différentes. Ecoute ceci, qui vaut pour toi et pour toute cette troupe : craignez l'endroit où les rochers forment des arches.

Tregarth répondit avec un sourire forcé :

— Rassure-toi, ma dame... Dans ce pays, j'avance en regardant autour de moi comme si j'avais des yeux devant et derrière la tête. Et ce n'est pas mon premier raid...

— Nous le savons. Sinon, tu ne chevaucherais pas avec lui. (Elle désigna Koris :) C'est un vrai chef, il ne choisit pas ses hommes au hasard.

— Ce danger que tu vois, nous attend-il à Fort Sulcar ? demanda Simon.

— Tu sais ce qu'il en est des caprices du Pouvoir, étranger. Rien n'est jamais tout à fait clair dans les visions. Dans la mienne, il n'y avait pas les murs d'une cité... Je crois que cela se produira avant la mer. Sors ton pistolet, Simon, et prépare tes redoutables poings...

Elle semblait de nouveau amusée, mais elle ne sourit pas. Simon ne dit rien. Il devait accepter de jouer selon les règles de la sorcière.

CHAPITRE V

BATAILLE AVEC LES DÉMONS

Le ciel du matin brillait ; aucun nuage n'obscurcissait l'astre du jour. Le vent charriait de lourdes senteurs ; Simon était ému comme il pensait ne plus jamais l'être de sa vie. C'était vraiment étrange... Sans s'en apercevoir, il se mit à fredonner.

— L'oiseau chante avant l'attaque du faucon ! persifla une voix familière.

— Je refuse d'écouter tes croassements, ma dame. La journée est trop belle.

La sorcière tira sur le col de sa cotte de mailles comme si elle se sentait emprisonnée.

— C'est la mer que nous humons, Simon, dit-elle. Un peu d'eau salée court dans les veines du peuple d'Estcarp ; c'est pourquoi le sang des hommes de Sulcar et le nôtre peuvent se mêler. Un jour, j'irai jusqu'à la mer et je partirai avec elle. As-tu déjà songé à suivre les flots quand ils se retirent ?

Simon ne répondit pas. Il n'avait pas le pouvoir des sorcières d'Estcarp, mais quelque chose, au plus profond de lui, venait de s'éveiller et lui criait de prendre garde. Sans réfléchir, il tira sur les rênes de sa monture.

— Halte ! cria la sorcière, levant une main en même temps que Tregarth.

Les hommes qui les suivaient s'arrêtèrent. Koris tourna la tête ; il leva la main et toute la colonne s'immobilisa. Après avoir confié le commandement à Tunston, le capitaine remonta les rangs.

— Et alors ? gronda-t-il, arrivant près de Tregarth.

— Nous allons tout droit dans... quelque chose...

Simon scrutait le terrain, devant eux. Rien ne bougeait, à part un oiseau, haut dans le ciel. Le vent était tombé, pas un buisson ne frémissait. Et pourtant l'ancien colonel eût parié sa chemise qu'un piège les attendait.

Koris était déjà revenu de sa surprise. Il ne regardait plus Simon, mais la sorcière, assise sur sa selle, les narines dilatées. Elle lâcha les rênes, dessina des arabesques dans l'air puis hocha la tête d'un air convaincu.

— Il a raison. Il y a un espace « blanc » devant nous. Quelque chose que je ne peux pénétrer. Une barrière magique — ou le camouflage d'une armée.

— Mais comment a-t-il pu deviner ? Il n'a pas le Pouvoir !

La protestation de Koris venait du fond du cœur. Il lança à Simon un regard difficile à interpréter, mais sûrement pas amical.

Le capitaine éperonna sa monture pour revenir en tête de la colonne. Il donna l'ordre de reprendre la marche.

Simon sortit son pistolet. Comment avait-il su qu'ils avançaient vers un danger ? Il avait eu ce genre d'intuition, par le passé — comme la nuit de sa rencontre avec Petronius — mais jamais aussi forte et claire.

Et cela se renforçait à mesure qu'il avançait !

La sorcière chevauchait toujours près de lui. Elle psalmodiait. De sa tunique, elle avait tiré le cristal qui lui servait à la fois d'arme et de signe de reconnaissance de son « ordre ». Elle le leva au-dessus de sa tête et cria un ordre dans une autre langue que celle récemment apprise par Simon.

Alors apparut une formation naturelle de rochers pointant vers le ciel comme les crocs de quelque mâchoire géante. La route passait sous deux de ces rocs, qui s'arquaient et se touchaient, rappelant l'arche d'un temple.

L'attaque déferla comme un raz de marée. Une vague de fantassins armés jusqu'aux dents fondit sur l'expédition d'Estcarp. Le visage entièrement caché par leurs heaumes à bec pointu, ils ressemblaient à un vol de gerfauts piquant sur une proie. Ils avançaient dans un silence parfait, comme des spectres...

— Pour Sulcar ! Pour Sulcar !

Magnis Osberic en tête, les hommes de Fort Sulcar chargèrent.

Pas un son ne sortit de la gorge des soldats d'Estcarp ; Koris ne donna pas d'ordre. Mais les tireurs d'élite visèrent et tirèrent, et les hommes d'épée sortirent leur lame. Ils avaient l'avantage d'être à cheval contre un ennemi à pied.

Simon avait étudié les armures d'Estcarp ; il savait où étaient leurs points faibles. Il ignorait s'il en allait de même pour celles de Kolder. Il visa quand même l'articulation de l'épaule d'un homme qui courait quelques mètres devant ses compagnons. Le Kolderien tomba comme une masse, le bec de son casque s'enfonçant dans la terre.

— Pour Sulcar ! Pour Sulcar !

Le cri de guerre des hommes de Magnis Osberic se transforma en rugissement quand les deux groupes de combattants entrèrent en contact. Dans les premiers instants de la mêlée, Simon n'eut qu'un objectif en tête : trouver des cibles ! Puis il commença à noter les particularités de l'ennemi.

Les Kolderiens ne se souciaient pas de leur sécurité. Des dizaines d'hommes couraient à la mort faute d'être passés à temps de l'attaque à la défense. Ces soldats de l'enfer ne songeaient même pas à lever leurs boucliers pour parer les coups. Ils luttaient avec une incroyable férocité, mais sans la moindre imagination.

Des automates, pensa Simon, *remontés à bloc et incapables de faire marche arrière.*

Ils comptaient, prétendait-on, parmi les plus redoutables guerriers de ce monde. Et ils se laissaient tailler en pièces aussi aisément qu'un gosse renverse une armée de soldats de plomb !

Simon ne rechargea pas son pistolet. Il n'était pas homme à massacrer un ennemi sans défense. Eperonnant son cheval pour se dégager, il aperçut un Kolderien qui courait vers lui. Il se prépara à l'affronter, mais l'homme le dépassa : il s'intéressait au cavalier resté derrière Tregarth : la sorcière.

L'épée du Kolderien fendit l'air ; la femme tira sur les rênes de sa monture, esquivant le coup de justesse. Frappant en retour, elle toucha la pointe du casque de son adversaire. Sa lame, déviée, ne fit pas grand dégât.

Malgré son étrange casque, peu pratique pour y voir, le Kolderien maniait bien son épée. La sorcière résistait à grand-peine. La main gantée de l'homme s'accrocha à sa ceinture et la tira de sa selle ; elle ne pouvait rien contre la force brute de son agresseur.

Simon approcha. Comme sourd et aveugle, le soldat ennemi ne s'aperçut pas qu'il était pris entre deux feux. A l'instar de ses camarades, il semblait programmé pour avancer, rien de plus. Craignant de blesser la sorcière s'il utilisait son épée, Simon approcha encore, libéra sa jambe droite de l'étrier, et flanqua un formidable coup de pied dans la nuque de l'homme.

L'impact fut terrible. Tregarth eut l'impression que son pied perdait toute sensibilité. Le Kolderien chancela et s'écroula, entraînant la sorcière avec lui. Simon sauta à terre. Il tituba et craignit un moment que sa jambe droite ne se dérobe. Il parvint quand même à glisser les mains sous les épaules du Kolderien. Serrant les dents, il le fit rouler sur le dos et libéra la femme.

Elle se releva, mal assurée sur ses jambes, et s'approcha du Kolderien, renversé et impuissant comme une tortue. S'agenouillant, elle s'attaqua à la fixation de son casque.

— En selle ! lui cria Tregarth.

Il lui tendit les rênes de son propre cheval.

Elle secoua la tête et continua à s'affairer. La fixation céda ; elle ouvrit le casque.

Inconsciemment, Simon avait déjà imaginé plusieurs variantes du visage haï de l'ennemi. Aucune n'approchait la réalité.

Koris survint, sautant de selle pour s'agenouiller près de la sorcière.

— Herlwin ! cria-t-il.

Ses mains agrippèrent les épaules du Kolderien comme s'il voulait le tirer à lui pour une accolade.

Alors des yeux aussi bleus que ceux du capitaine, et enchâssés dans un visage aussi beau, s'ouvrirent. Mais ils ne voyaient ni Simon, ni la sorcière, ni Koris. C'étaient des globes morts, vides, insondables...

La sorcière prit les poignets de Koris et le força à lâcher prise. Puis elle toucha les joues du Kolderien et sursauta, une grimace de dégoût sur le visage.

— Herlwin ? répéta le capitaine, hébété.

Il s'adressait à la sorcière, non à l'homme vêtu d'une armure kolderienne.

— Décapite-le ! ordonna la femme.

Koris leva son épée.

— Non ! protesta Simon.

Le Kolderien était sans défense. Ils ne pouvaient pas l'achever froidement. Même dans ce monde de violence et de magie, il *devait* y avoir des règles !

— Touche donc sa peau, étranger, cracha la femme.

A contrecœur, Simon s'exécuta. Ce fut à son tour de sursauter : les joues de l'homme étaient plus glaciales que le métal ou la pierre. Cherchant le regard du Kolderien, Tregarth sentit plus qu'il ne vit un néant pire que la mort. La chose vêtue de cette armure était la négation du bien, l'horreur faite chair. Jamais elle n'aurait dû voir le soleil, ou fouler la terre.

Jamais !

Il se releva et s'écarta, détournant le regard au moment où l'épée de Koris s'abattait. La créature que le capitaine allait décapiter était morte depuis bien longtemps — morte et damnée !

Tout autour, la bataille avait cessé, faute de combattants. Tous les Kolderiens gisaient, morts ou agonisants. Deux soldats d'Estcarp avaient péri. Un homme de Sulcar était écroulé sur l'encolure de son cheval ; il agonisait. L'attaque avait été si stupide que Simon se demanda pourquoi on l'avait lancée. Il suivit Koris, qui marchait entre les corps.

— Otez-leur les casques et coupez-leur la tête ! cria le capitaine.

Sous chaque heaume se cachait un visage encadré de cheveux blonds semblable au sien.

— Midir !

Il s'attarda un instant près d'un blessé, puis :

— Qu'on l'achève, vite !

Un soldat obéit avec une froide efficacité.

Quand il eut fini sa funeste ronde, Koris revint près de Magnis Osberic et de la sorcière.

— Ils sont tous de Gorm ! rugit-il.

— Ils *étaient* de Gorm, rectifia la femme. Gorm a cessé d'exister quand elle a ouvert son port à Kolder. Ces hommes ne sont plus les compagnons dont tu gardais le souvenir, Koris. Depuis très longtemps, ils n'ont plus rien d'humain. Ce sont des bras et des jambes, des machines à tuer faites pour servir leurs maîtres. Les Kolderiens s'en servent pour affaiblir nos forces avant la bataille décisive.

— Serait-ce qu'ils manquent d'hommes ? se demanda Koris à voix haute. Une nouvelle intéressante... Mais qui sait quelle idée tortueuse peut naître dans l'esprit d'un Kolderien ? Attendons-nous à d'autres surprises...

Simon chevauchait au côté de Koris. L'image des corps sans tête laissés sur le champ de bataille le hantait. Certaines vérités étaient plus difficiles à admettre que d'autres...

— Les morts ne combattent pas ! grommela-t-il.

— Herlwin et Midir étaient mes frères d'armes, lui répondit Koris. Les créatures que nous avons achevées n'avaient plus rien à voir avec eux.

— Un homme est fait de trois choses, intervint la sorcière. Un corps pour agir, un esprit pour penser, et une âme pour ressentir. Les hommes de ton monde sont-ils différents, Simon ? Je ne crois pas, car tu penses, tu agis, et tu ressens. Tuer le corps libère l'âme ; tuer l'esprit laisse le corps survivre dans de tristes conditions. Mais tuer l'âme et laisser survivre le corps — et peut-être une partie de l'esprit —, est un péché qui dépasse l'imagination. Ce qui est arrivé aux hommes de Gorm est l'œuvre du démon.

— C'est ainsi que nous finirons, ma dame, dit

Magnis Osberic, si les forces de Kolder pénètrent dans Fort Sulcar !

Le colosse avait remonté la colonne pour se porter à hauteur du capitaine.

— Nous les avons vaincus, continua-t-il, mais que va-t-il se passer s'ils envoient des légions de machines à tuer contre nous ? C'est la saison du commerce. Presque tous nos bateaux sont en mer, et il reste peu d'hommes dans la forteresse. Un guerrier peut couper des centaines de têtes, mais son bras faiblit fatalement. Si l'ennemi déferle sans répit et ne craint pas la mort, la victoire sera à lui !

Ni Koris ni la sorcière ne répondirent...

Simon fut quelque peu rassuré par son premier coup d'œil sur la forteresse, des heures plus tard. Les hommes de Sulcar étaient de fins bâtisseurs. Leur ville offrait peu de prises à un assaillant : murs d'enceintes lisses, tours de garde disposées aux endroits stratégiques... En approcher sans être vu tenait du prodige.

— Il semble, commenta Simon en passant les portes, que l'architecte ait travaillé en pensant à tout instant à la guerre.

Fort Sulcar était niché entre les deux bras de roches qui délimitaient le port. Ces jetées étaient renforcées et semées de fortins reliés à la ville par un réseau de souterrains.

— Maître Tregarth, répondit Magnis Osberic, nous sommes depuis toujours en paix avec Estcarp. En ce qui concerne Karsten et Alizon, les choses ne vont pas si mal, pourvu que nous graissions les bonnes pattes. Partout où nous passons, nous montrons nos épées en même temps que nos marchandises ; ici se trouve le cœur de notre royaume. Nos entrepôts contiennent ce que nous avons de plus précieux, car le commerce est le poumon de Fort Sulcar. Piller notre citadelle est le rêve de tous les pirates et de tous les brigands du monde !

« Les Kolderiens sont peut-être les suppôts du malin qu'on décrit, mais ils ne dédaignent pas les richesses. Ils aimeraient sans doute mettre la main sur les nôtres. C'est pourquoi nous avons une ultime défense : si Fort Sulcar tombe, ses vainqueurs n'en tireront aucun profit.

Il bomba le torse.

— Fort Sulcar a été construit au temps de mon arrière-grand-père pour offrir à mon peuple un havre en cas de tempête, qu'elle soit naturelle ou provoquée par l'homme. Aujourd'hui, nous en avons besoin plus que jamais...

— Je vois trois bateaux dans le port, dit Koris. Un cargo et deux frégates armées.

— Le cargo partira à l'aube pour Karsten. Le duc a fait ses achats... On dit qu'il va bientôt se marier. Mais il paraît qu'il est déjà infidèle à sa fiancée. Il a une favorite, dame Aldis. Yvian veut bien passer la corde au cou à quelqu'un, mais il entend garder sa liberté...

— Et les frégates ? coupa Koris, médiocrement intéressé par les intrigues de la cour voisine.

— Elles resteront là un moment, éluda Magnis. Elles doivent patrouiller. J'aime savoir qui vient par la mer...

Un seul bombardier aurait pu détruire les fortifications de Sulcar en un passage ou deux ; en quelques heures, l'artillerie lourde aurait eu raison de ses murs. Mais sauf si les Kolderiens disposaient d'armes dépassant ce qu'il avait vu jusque-là, les marchands avaient tort de s'inquiéter à ce point.

Koris, la sorcière et Simon contemplaient la mer depuis le sommet d'une tour battue par les vents.

— Il serait dramatique d'affaiblir Estcarp pour

concentrer nos troupes ici, dit le capitaine, désabusé. Ce serait une invitation pour Alizon et Karsten. Et je ne crois pas en la victoire. Les fortifications sont solides, mais trop d'hommes manquent. Magnis Osberic a commis une erreur. Avec tous ses soldats, il pourrait tenir. Avec une poignée, il n'a pas une chance.

— Et pourtant, Koris, dit la sorcière, tu vas te battre à ses côtés, parce que c'est ton devoir. Qui sait si les dents de Kolder ne se briseront pas sur les murs de Fort Sulcar ?

— Tu as une prédiction pour nous, ma dame ? demanda le capitaine.

Elle secoua la tête.

— N'attends pas de moi ce que je ne peux donner, Koris. Sur la plaine, avant l'embuscade, je ne « voyais » qu'un vide terrifiant. Ce signe négatif m'a permis de reconnaître les Kolderiens. Je ne peux pas faire mieux. Et toi, Simon ?

— Moi ? Mais je ne prétends pas avoir le Pouvoir...

Il s'interrompit, conscient de sa mauvaise foi. Dans la plaine, lui aussi avait senti un grand vide...

— Honnêtement, je ne peux rien dire... Sauf en tant que soldat : ce fort semble inexpugnable, pourtant je m'y sens piégé...

— Voilà une chose qu'il vaut mieux taire à Osberic, souffla Koris.

Ils continuèrent à regarder le port. Dans leurs esprits, la ville perdait de plus en plus son aura de refuge pour adopter les sinistres contours d'une cage...

CHAPITRE VI

BROUILLARD MORTEL

Cela commença peu après minuit... Un mur de brume monta de la mer, voilant les vagues pourtant déchaînées puis obscurcissant le ciel. Des volutes de ce brouillard envahirent les remparts ; elles assaillirent les hommes, pénétrant jusqu'aux os, déposant un goût salé sur les lèvres.

Les globes lumineux plantés au long des deux jetées furent bientôt pris dans cette nasse opaque. L'une après l'autre, les lumières furent digérées par cette mort blanche. Le monde se laissait grignoter peu à peu, mètre après mètre. Bientôt, il n'en resterait plus rien.

Simon se tenait en haut de la tour de garde. Dans le port, une des frégates était comme coupée en deux par la brume. Jamais il n'avait vu pareil phénomène. Même le *fog* de Londres, empoisonné par les émanations industrielles du monde moderne — de *son* monde moderne ! — ne pouvait rivaliser avec cette purée de pois aveuglante.

Un écran idéal pour une attaque !

Comme en réponse, les gongs résonnèrent sur la double jetée.

Une attaque, j'avais raison !

Simon se précipita vers l'escalier. En chemin, il rencontra la sorcière.

— Les Kolderiens ! cria-t-il.

— Pas encore. On frappe sur les gongs pour guider les navires qui cherchent le port.

— Même si c'est un vaisseau de Kolder ?

— Je sais, Simon. On ne peut pas changer des coutumes centenaires en un jour. En cas de tempête, les gongs de Fort Sulcar viennent au secours des marins. Il faudrait un ordre de Magnis Osberic pour y changer quelque chose.

— Alors un brouillard comme celui-ci est chose commune ?

— Mes sœurs et moi commandons aux éléments dans une certaine mesure. Chacune de nous pourrait produire une brume apte à aveugler les yeux et l'esprit de simples mortels. Ce brouillard est différent.

— Tu veux dire qu'il est naturel, insista Tregarth, persuadé du contraire.

— Pour faire un vase, un potier se sert de la glaise et du tour afin de concrétiser l'image qu'il a dans l'esprit. La glaise vient de la nature, mais ce qui change sa forme est le produit de l'intelligence et de l'apprentissage. Je crois que quelqu'un — ou quelque chose — a réuni une part de l'eau et une part de l'air pour les contraindre à changer de forme à sa guise.

— Et que comptes-tu faire contre ça, ma dame ? demanda Koris, apparu sans un bruit derrière eux. Nous serons bientôt tout à fait aveugles...

— C'est ce qu'ils cherchent, mais c'est à double tranchant. Puisqu'ils veulent jouer à ce jeu, soyons meilleurs qu'eux.

— Tu vas combattre le brouillard par le brouillard ? s'étonna le capitaine.

— Non. On ne contre pas une ruse avec la même ruse. Ils se servent de l'eau et de l'air. Utilisons les mêmes éléments, mais d'une autre façon. (Elle réfléchit.) Oui, ça pourrait les désorienter... Il faut descendre au port. J'aurai besoin de bois, des planchettes en bois blanc seraient idéales. Que Magnis Osberic nous donne aussi des couteaux et des chiffons. Apporte-moi tout ça sur le quai principal.

Peu après, des hommes de Sulcar et des soldats d'Estcarp apportèrent de pleines brassées de planchettes à la sorcière. Elle prit la plus petite et, avec un couteau, la tailla grossièrement en forme de bateau, pointu à la proue, arrondi à la poupe. Simon et les autres l'imitèrent.

Bientôt, ils furent à la tête d'une flotte de trente petits bateaux en bois blanc, munis d'un bâton en guise de mât. La sorcière se chargea de fixer les « voiles » découpées dans de vieux chiffons.

Ils mirent leur armada à flot. La sorcière s'agenouilla et souffla dans chaque petite voile.

— Le vent et l'eau, le vent et l'eau, chantonna-t-elle. Le vent pour les voiles, l'eau pour la coque, et le brouillard pour ensorceler.

L'un après l'autre, elle poussa les petits vaisseaux vers le large. Le brouillard les engloutit presque aussitôt, mais Simon eut le temps de voir une chose étrange : les navires miniatures se transformaient en de fringants voiliers, dix fois plus impressionnants que les frégates de Magnis Osberic.

La sorcière s'approcha de lui et le tira par la manche :

— Ne crois pas tout ce que tu vois, étranger. Les sorcières sont prodigues d'illusions. Espérons que celle-ci effraiera un éventuel envahisseur.

— Ça ne peut pas marcher ! De vulgaires planchettes, avec un bâton et un bout de tissu...

— Nous dépendons de nos sens, Simon. Si on

parvient à tromper les yeux, le nez, les doigts, la magie devient pour un instant réalité. Si tu te préparais à entrer dans le port pour attaquer la ville, insisterais-tu en apercevant une flotte pareille ? J'ai seulement voulu gagner du temps. Les illusions ne résistent pas à l'épreuve du réel. Un vaisseau kolderien qui voudrait aborder un de mes voiliers s'apercevrait vite de la supercherie. Parfois, gagner du temps est une chose précieuse...

Elle avait raison. En tout cas, si l'ennemi avait prévu d'attaquer ce soir, sa manœuvre l'en avait dissuadé. La nuit fut calme. Au matin, le brouillard était toujours là.

Les capitaines des trois vaisseaux mouillant au port attendaient les ordres d'Osberic, qui, laconique, leur conseilla de continuer d'attendre.

Simon prit son tour de garde en compagnie de Koris. Avec la faible visibilité, le jeu consistait surtout à ne pas s'empaler sur les armes d'amis marchant dans l'autre sens...

— Si ça continue, dit Simon, les Kolderiens n'auront plus besoin d'attaquer ! Les hommes sont nerveux ; ils vont finir par s'entre-tuer...

— Je sais, Simon... Les Kolderiens jouent avec nos nerfs. Mais que faire ?

— Quiconque a de bonnes oreilles peut entendre les mots de passe. Les fortins pourraient tomber entre leurs mains un par un sans qu'on s'en aperçoive...

— Nous ne savons même pas s'il y a une attaque ! Etranger, si tu vois mieux à faire, donne tes ordres et je les accepterai. Je suis un guerrier, et je *croyais* tout connaître de la guerre. Je me pensais aussi expert en sorcellerie, puisque je sers Estcarp depuis longtemps. Mais, Simon, je suis dépassé...

— Cette manière de se battre m'est tout autant étrangère, avoua Simon. N'importe qui y perdrait le nord. Mais je suis presque sûr d'une chose : ils ne viendront pas par la mer...

— ... parce que nous nous y attendons trop, compléta Koris. C'est vrai, mais je ne vois pas comment ils attaqueraient par la terre. Cela demanderait une machinerie complexe ; il faudrait des semaines pour la monter.

— La terre et la mer éliminées, que reste-t-il ?

— Le ciel et... le sous-sol, répondit Koris. Les souterrains !

— Oui... Mais nous n'avons pas assez d'hommes pour les surveiller.

— Qu'importe ! Il existe une manière de les garder qui ne demande pas d'hommes. Une ruse à moi. Allons voir Magnis.

Il se mit à courir, la pointe du fourreau de son épée frottant contre la dalle du couloir.

Son système était des plus simples : il suffisait de poser une bassine de métal à l'aplomb des portes des catacombes. La boule de métal posée dans la bassine ferait un vacarme du tonnerre si quelqu'un essayait de forcer l'entrée. Une judicieuse utilisation des vibrations !

Ainsi, il ne restait plus que l'air. Mais Simon n'y croyait guère : une civilisation aussi peu avancée — sur le plan technique, s'entend — ne pouvait pas disposer d'une aviation.

Grâce au système de Koris, ils eurent un peu de temps devant eux quand les Kolderiens essayèrent de forcer toutes les portes des souterrains en même temps. Les salles attenantes avaient été remplies avec tous les matériaux inflammables trouvés dans les entrepôts. Les ballots de coton voisinaient avec les rouleaux de soie. Imbibés de pétrole ou même de vin, ces articles attendaient de se consumer en un redoutable feu de joie.

— Qu'ils viennent griller chez nous ! gronda Magnis Osberic.

Pour la première fois depuis que la brume emprisonnait son domaine, le marchand semblait retrouver de l'allant. Comme tous les marins, il haïssait le brouillard, qu'il fût naturel ou magique. La perspective de l'action lui fouettait les sangs !

— Ahhhhrg !

Les hommes postés dans la salle de garde pour « accueillir » les Kolderiens se figèrent. La douleur physique ne suffisait pas à expliquer un tel cri ; seule une peur panique pouvait l'avoir arraché à la gorge d'un homme.

Simon fut le premier à se ressaisir, peut-être parce qu'il s'attendait depuis le début à une ruse de ce genre. Quatre à quatre, il monta les marches menant au sommet de la tour.

Il n'arriva jamais au dernier étage. Les cris et les raclements de métal qu'il entendait au-dessus de lui le convainquirent de ralentir le pas. Il sortit son pistolet.

L'escalier montait en colimaçon. Simon se félicita d'avoir ralenti, évitant ainsi de peu d'être percuté par le cadavre d'un malheureux soldat d'Estcarp qui dévalait les marches, la gorge tranchée.

Tregarth continua de monter : deux hommes de Koris et trois gardes de Sulcar se battaient au deuxième étage, contenant à grand-peine un groupe d'hommes de Gorm ensorcelés qui attaquaient avec une férocité aveugle. Simon tira et fit mouche. Il rechargea et toucha encore sa cible.

Une goutte d'eau dans un océan...

Contre toute logique, l'ennemi était arrivé par les airs. Il tenait les étages supérieurs de la forteresse.

Ce n'était pas le moment de deviner comment les

Kolderiens s'y étaient pris. Deux marins et un soldat de Koris venaient de tomber. Simon rengaina son pistolet et tira son épée du fourreau.

— Pour Sulcar ! Pour Sulcar !

L'ancien colonel fut rassuré de découvrir le géant qui venait d'apparaître à ses côtés : Magnis Osberic.

— Recharge ton pistolet pendant que je les retiens, étranger !

Simon obéit. Magnis se battait bien, mais il leur fallut reculer. Ils rejoignirent le groupe de Koris, dans la salle. Tregarth n'aurait pu dire combien de fois il avait tiré ; l'épée d'Osberic était rouge de sang. Son bras ne faiblissait-il donc jamais ?

— Par là ! cria le géant, désignant une porte.

Tous s'y engouffrèrent ; ils parvinrent à la refermer sur l'ennemi écumant.

— Suivez-moi ! cria Osberic.

Ils traversèrent un labyrinthe de couloirs, fermèrent encore derrière eux cinq ou six portes épaisses de dix centimètres, et débouchèrent dans une vaste salle. Une curieuse machine était nichée dans une alcôve plus haute que Magnis Osberic lui-même.

Le maître de la ville s'en approcha. Ses yeux exorbités se posèrent sur ses compagnons. Simon doutait qu'il ait encore toute sa raison.

— Ils sont apparus comme ça, éructa-t-il, venus du ciel comme des démons ailés. Aucun homme ne peut vaincre un démon !

Il rit doucement, comme un amoureux peut le faire quand il prend dans ses bras une femme consentante.

— Mais ils ne gagneront pas ! Fort Sulcar ne servira pas de nid à ces vipères !

Il parut recouvrer un peu de lucidité :

— Compagnons d'Estcarp, vous vous êtes fièrement battus. La suite ne vous concerne plus. Nous allons libérer l'énergie qui alimente la ville, et tout détruire ! J'espère que vous ferez un jour payer notre fin à ces maudits sorciers volants ! Pour l'instant, nous allons emporter beaucoup de ces monstres avec nous. Les rangs kolderiens seront peut-être clairsemés, à l'avenir ! Partez et laissez-nous *solder* nos comptes avec ces assassins !

Domptés par le ton de sa voix et la lueur de ses yeux, les survivants de l'expédition d'Estcarp se rassemblèrent ; vingt hommes, plus Simon et Koris.

Sans se concerter, tous montrèrent les armes à ceux qui allaient rester.

Magnis grogna :

— Merci, merci... Mais ce n'est plus l'heure des parades. Filez !

Ils partirent par une petite porte que Magnis leur indiqua. Koris passa le dernier et verrouilla l'huis. Ils se mirent à courir dans le passage éclairé par des globes lumineux.

Ils déboulèrent dans une grotte où l'air sentait bon la mer. Trois petits bateaux y étaient amarrés.

— Vite ! cria Koris.

Simon fut poussé dans une barque ; plaqué contre le fond, il fut à demi écrasé quand ses compagnons s'entassèrent comme ils le pouvaient, le piétinant à qui mieux mieux.

Le bateau se mit en mouvement ; des jambes et des bras s'agitèrent en tous sens. Prudent, Tregarth cala sa tête dans le creux de ses bras. L'embarcation tangua de plus en plus.

Simon n'avait jamais eu le pied marin. Luttant contre le mal de mer, il fut saisi de surprise par une déflagration de fin du monde.

Le tangage s'accentua. Quand Simon émergea de cette marée de corps, insensible aux protestations de ses compagnons, il constata que le brouillard avait disparu. Il faisait clair comme en plein jour...

Ce n'était pas la lumière du soleil, mais celle de l'incendie qui embrasait Fort Sulcar.

Simon prit une grande inspiration. Il avait vu beaucoup de villes brûler, dans son monde d'origine, durant les années de guerre...

Il s'ébroua. Leur bateau voguait, laissant les flammes et la mort derrière eux.

Simon tourna la tête et découvrit un homme, assis à la poupe. C'était Koris ; il tenait la barre, comme toujours.

S'ils n'étaient pas morts dans l'explosion de Fort Sulcar, leur sort n'avait rien d'enviable. Les vagues léchaient avec fureur la coque du petit esquif. Quelle que fût la machine infernale utilisée par Magnis Osberic pour détruire sa ville, elle avait une influence néfaste sur les éléments.

Le vent soufflait de plus en plus fort ; la tempête arrivait.

Sur leurs coquilles de noix, les survivants comprirent que leur évasion n'était peut-être qu'un sursis...

DEUXIÈME PARTIE

L'AVENTURE DE VERLAINE

CHAPITRE PREMIER

MARIAGE PAR LA HACHE

La mer était grise comme le tranchant d'une hache qui ne brillera plus, même si on passait des heures à essayer de le polir. Le ciel aussi était terne, interdisant de repérer la ligne de démarcation entre l'eau et l'air.

Loyse regardait par la fenêtre de sa chambre. La tête lui tournait ; la vue, depuis le sommet de la tour, était vertigineuse. Pourtant, la jeune fille venait souvent contempler le vide : une saisissante image de la liberté !

Elle se pencha plus, se contraignant à jouer avec ses propres terreurs. Pour supporter d'être la fille de Fulk, il fallait se forger un caractère d'acier. Depuis sa plus tendre enfance, Loyse travaillait à la construction de sa citadelle intérieure.

Beaucoup de femmes étaient passées à Verlaine ; Fulk avait du goût pour les plaisirs de la chair. Depuis toujours, Loyse voyait des belles arriver puis repartir. Il n'en avait épousé aucune. A sa grande rage, elles ne lui avaient pas donné d'héritier...

Loyse s'en réjouissait. Fulk ne possédait pas Verlaine par le sang, mais à cause de son mariage avec sa mère. Il avait besoin que la jeune fille reste en vie pour continuer à mener ripailles et à écumer la terre et la mer. Si Loyse mourait, tous les cousins de sa mère, à

Karsten, s'empresseraient de revendiquer leur héritage.

Si une de ses maîtresses lui avait donné un fils, Fulk aurait pu lui léguer Verlaine ; ainsi le voulaient les nouvelles lois du duc. Les anciens textes privilégiaient les lignées féminines. Aujourd'hui, il fallait que le père n'ait pas d'héritier pour que la vieille loi prévale.

C'était l'unique espoir de Loyse. Si Fulk se faisait tailler en pièces lors d'un raid, ou si un des mâles d'une famille ruinée par ses soins l'étripait, elle et Verlaine seraient libres. Alors, tous verraient de quoi une femme était capable ! Ils sauraient qu'elle n'avait pas passé son temps à geindre en se tordant les mains !

Elle s'éloigna de la fenêtre et traversa sa chambre. Il faisait froid ; la brise marine, comme toujours. Mais elle était habituée : le froid et la pénombre faisaient partie d'elle...

Loyse vint se camper devant son miroir. Regarder la réalité en face était la base de sa discipline. Jamais elle ne redoutait ce que son reflet allait lui apprendre...

Elle était petite. Cette caractéristique féminine était la seule qu'elle partageait avec les catins des soldats de son père, ou les courtisanes mieux tournées qu'il réservait à son usage. Son corps était élancé comme celui d'un garçon ; quelques timides courbes indiquaient qu'elle n'en était pas un. Ses cheveux tombaient sur ses épaules. Ils étaient d'un blond si pâle qu'on les croyait souvent blancs, sauf à la lumière du soleil. Avec ses cils et ses sourcils tout aussi incolores, la pauvre enfant avait une pâleur d'enterrée vivante. Abusés par son allure, beaucoup la tenaient pour sotte. Loyse avait grandi dans l'ombre : elle ne brillait point. Mais une extraordinaire vitalité vibrait en elle.

Et son intelligence en surprendrait bientôt plus d'un !

On frappa à la porte. Loyse ne broncha pas. Elle ne manquait jamais une occasion de défier son père.

S'en apercevait-il seulement ?

La porte claqua contre le mur. Le seigneur de Verlaine renversait toujours les obstacles comme le soudard qu'il était.

Il entra en conquérant !

Loyse était une créature de la nuit, pâle et sans relief. Fulk vivait à la lumière, lui empruntant son éclat. Son corps de colosse commençait à porter les stigmates de sa vie de débauche. Mais il restait d'une mâle beauté qui mariait l'arrogance d'un prince à la brute virilité d'un guerrier. Ses soldats le vénéraient. Il savait se montrer généreux et il partageait leurs vices. A quel meilleur chef pouvaient-ils rêver ?

Loyse ne se retourna pas.

— Je te salue, seigneur Fulk, dit-elle d'une voix atone.

— Seigneur Fulk ? C'est ainsi que tu parles à ton père ? Retourne-toi et fais-moi la grâce d'un sourire.

Il la prit par les épaules et la força à tourner sur elle-même. Il lui avait fait mal, mais elle ne dit rien. Jamais elle ne lui aurait montré sa vulnérabilité.

— Je viens avec une nouvelle qui ferait sauter de joie n'importe quelle enfant, et tu tournes vers moi ton déprimant visage de statue de cire ! dit-il, la foudroyant du regard.

— Tu ne m'as pas encore annoncé cette nouvelle, seigneur...

Les mains de Fulk serrèrent les épaules de la jeune fille à lui briser les os.

— C'est vrai, insolente ! Prépare-toi à une grande émotion, ma fille ! Le mariage... Ah ! Ah ! Le mariage et les plaisirs du lit, mon enfant !

Effrayée comme jamais, Loyse feignit de n'avoir pas compris. Une insolence de plus !

— Tu vas te remarier, seigneur ? Pourquoi m'en réjouirais-je ?

— Tu es la planche à pain la plus fade que j'aie jamais vue, ma fille, mais je sais que tu n'es pas idiote. Cesse de te moquer de moi ! Tu dois être une vraie femme, à ton âge, malgré les apparences. Il te faut d'urgence un seigneur et maître ! Et n'essaie pas de lui faire croire des sornettes ! Il aime les compagnes de lit dociles !

Confrontée à ce qu'elle redoutait depuis toujours, Loyse laissa transparaître son désarroi.

— Un mariage exige le consentement de...

Elle s'arrêta, honteuse de se donner en spectacle.

Fulk éclata d'un rire gras. Puis il lui fit faire demi-tour, et la poussa vers le miroir.

— Regarde ce monument d'insignifiance que tu appelles un visage ! Crois-tu qu'un homme pourrait presser ses lèvres contre les tiennes sans fermer les yeux, et sans rêver à être ailleurs ? Réjouis-toi d'avoir un père assez puissant pour faire oublier ton air de poisson mort et ton corps sans grâce ! Quant à *consentir*, je te promets qu'il t'en cuira, si tu fais du chichi !

Loyse ferma les yeux, complètement horrifiée. Entre les mains de quelle brute allait-elle tomber pour servir les intérêts de son père ?

— Yvian lui-même ! explosa Fulk, jubilant. Je lui offre un duc, et ce tas d'os, ce laideron, vient me parler de consentement ! Tu es *vraiment* idiote, donzelle de malheur !

Il la repoussa avec violence. Elle chancela mais trouva la force de ne pas tomber.

— Le duc ?

Elle n'en croyait pas ses oreilles. Qu'avait-il à faire de la fille d'un baronnet, aussi noble fût la lignée de sa mère ?

— Oui, le duc ! Une bonne fée a dû se pencher sur ton berceau, mon enfant ! Ce matin, un porte-parole est venu avec une proposition de mariage par la hache.

— Pourquoi m'avoir choisie ?

— Les raisons ne manquent pas. Le duc commandait une bande de mercenaires avant de refermer son gant de fer sur Karsten. Il y a dix ans, il a écrasé les seigneurs qui lui résistaient. Le temps a passé, et il n'a plus envie de guerroyer contre les rebelles. Cet homme, et je le comprends, veut profiter du duché si chèrement gagné. Epouser une héritière du sang lui attirera les grâces de la noblesse. La lignée de ta mère était d'une grande pureté. Quant à moi, je ne suis pas le premier venu, mais le plus jeune fils de Farthom, des collines du nord. Tu feras une duchesse acceptable.

Loyse ricana.

— J'ai du mal à croire, seigneur, que je sois la seule fille de sang noble disponible...

— Bien sûr que non, petite idiote. Yvian pourrait trouver femme sous les sabots d'un cheval. Mais tu as des avantages, très chère enfant. Verlaine est une forteresse côtière ; les nouvelles ambitions du duc sont plus commerciales que guerrières. Imagine un port, ici, qui attirerait tous les marchands du nord...

— Crois-tu que les gens de Fort Sulcar te laisseront faire ? Jamais ils ne renonceront à leur exclusivité.

— Les gens de Fort Sulcar ne seront bientôt plus qu'un mauvais souvenir. Ils sont entourés de voisins dangereux qui passeront bientôt à l'action. Estcarp, leur unique allié, est une coquille vide rongée par ses histoires de sorcellerie. Une seule poussée, et ce maudit pays s'écroulera comme un château de sable.

— Alors Yvian veut m'épouser pour mon sang et la possession d'un port hypothétique ? Je ne puis y croire. Je vis loin de la cour, mais j'ai entendu parler d'une certaine Aldis, qui y ferait la pluie et le beau temps...

— Yvian aura Aldis, et une cinquantaine de catins comme elle, s'il le désire. Ça ne te regarde pas. Donne-lui un fils, si ton ventre desséché peut en concevoir un. Oui, donne-lui un fils, et tiens-toi droite à table ! C'est tout ce qu'il te demandera. Ne l'ennuie pas, satisfais-toi de ton sort, et, avec les années, tu prendras le dessus sur Aldis et les autres. Mais attention : Yvian n'est pas connu pour sa patience !

L'entretien touchait à sa fin. Fulk détacha une petite clef de sa ceinture et la tendit à Loyse.

— Malgré ton visage de fantôme, il ne sera pas dit que tu te marieras comme une souillon. Je t'enverrai Bettris ; elle a l'œil pour ce qui est joli, et t'aidera à t'attifer. Vois aussi pour le maquillage. Et surveille Bettris : comme les pies, elle vole tout ce qui brille.

Elle prit la clef d'un geste si vif qu'il éclata de rire.

— Eh bien, serais-tu une femme, après tout ? Les colifichets t'excitent ? Sers-toi, ma fille, sers-toi ! La prochaine tempête me permettra de regarnir l'entrepôt.

Il sortit sans fermer la porte. Loyse serra la petite clef dans son poing et alla la pousser. Depuis des mois, des années, elle rêvait d'avoir ce petit morceau de métal en sa possession. Et il le lui avait donné, l'imbécile ! Personne ne l'empêcherait plus de trouver ce qui l'intéressait dans l'entrepôt de Verlaine.

La forteresse était construite à l'abord d'un cap des plus dangereux. Naufrage après naufrage, la mer offrait des trésors au seigneur de Verlaine. L'entrepôt était un lieu sacré ; seul Fulk pouvait en ordonner l'ouverture. Son marché avec Yvian devait être juteux, pour qu'il lui permette de fouiller à sa guise. La présence de Bettris n'inquiétait pas Loyse. La favorite actuelle de son père était aussi cupide que belle. En lui laissant les coudées franches...

La jeune fille au visage de Pierrot lunaire eut un faible sourire. Fulk serait sacrément surpris s'il voyait ce qu'elle allait choisir dans le trésor de Verlaine ! Et il s'ébaubirait de ce qu'elle savait sur les murs qu'il prenait pour de solides barrières. Elle regarda un moment celui où était suspendu son miroir... Un mur des plus intéressants !

Il y eut un grattement à la porte. Loyse sourit de nouveau, cette fois avec mépris. Bettris n'avait pas perdu de temps. Au moins hésitait-elle à violer l'intimité de la fille de son amant...

— Entrez, dit Loyse.

— Le seigneur Fulk, commença la courtisane...

Loyse leva une main.

— Regarde : la clef de la fortune !

Elle ne prononça pas le nom de la femme, et ne lui accorda pas la grâce d'un titre. Derrière la catin, elle aperçut deux serviteurs chargés d'une caisse. Elle n'avait pas prévu ça...

— Le seigneur Fulk veut que tu choisisses ta robe de mariée. Il a dit de ne pas lésiner...

— La générosité du seigneur Fulk le perdra, souffla Loyse. (Puis, aux serviteurs :) Vous déposerez la caisse et sortirez. Je ne veux pas vous voir fouiner dans les affaires de mon père...

Dès que les deux femmes furent seules dans l'entrepôt, les yeux de Bettris brûlèrent d'avidité. Avisée, Loyse attisa cet incendie :

— Mon père ne verra pas d'inconvénient à ce que tu te serves. En fait, il m'a dit de t'y autoriser. Mais sois raisonnable. Je ne tolérerai pas que tu le dépouilles...

Loyse approcha d'une table et souleva le couvercle d'un coffret. Elle fut étonnée par ce qu'elle découvrit. Elle savait que des années de rapines avaient considé-

rablement enrichi Fulk, mais à ce point... D'un entrelacs de chaînes et de bracelets, elle tira une broche
incrustée de pierres rouges. Elle n'aimait pas ce genre
de clinquant, mais la catin le trouverait à son goût.

— Que penses-tu de ça ?

Bettris tendit la main, puis se ravisa. Flairait-elle un
piège ? Surmontant sa répugnance, Loyse approcha le
bijou du décolleté de la courtisane ; elle frissonna de
dégoût quand ses doigts frôlèrent la peau douce de sa
gorge.

— Elle te va merveilleusement. Prends-la !

Loyse avait parlé trop sèchement, et elle le regretta.
Mais le poisson était ferré. Bettris approcha du coffret
et commença à fouiller, les mains tremblantes.

— Comme tu voudras, fit la pâle jeune fille, posant
la broche sur la table.

Elle allait avoir la paix pour un moment...

Loyse savait quoi chercher, mais ignorait où ce serait
rangé. Elle se déplaça lentement parmi les piles de
marchandises. Remarquant un coffre prometteur, elle se
pencha.

Son apparence gracile était un leurre. Comme son
cœur et son esprit, elle avait discipliné son corps. Le
couvercle était lourd, mais elle le souleva sans peine.
Sous une couche de vêtements sans intérêt, elle découvrit des cottes de mailles. Peut-être le stock d'un
marchand ambulant...

Tout au fond, elle en trouva une à sa taille, sûrement
faite sur commande pour le jeune fils d'un seigneur.
Elle la plia, la mit au fond de la caisse laissée par les
serviteurs, et la couvrit d'un morceau de tissu cha-
toyant choisi au hasard.

Bettris s'occupait toujours du coffret. Loyse se
demanda combien de bijoux la courtisane allait pouvoir
cacher sur sa personne...

Qu'importait ! Presque ouvertement, elle fit ses propres « emplettes », dissimulant les objets dangereux sous des colifichets du plus mauvais goût.

Pour finir d'endormir les soupçons de Bettris, elle se servit dans le coffret, se fendant même d'un sourire conspirateur.

Elle appela les deux serviteurs, qui portèrent la caisse dans sa chambre. C'était le moment délicat. Si Bettris voulait rester...

Pressée d'aller mettre son butin à l'abri, la courtisane s'éclipsa sous un vague prétexte.

Loyse se mit au travail sans perdre une seconde. Elle jeta les colifichets sur son lit, et entreprit de mettre à l'abri ses véritables trésors.

Elle cacha la cotte de mailles, le haut-de-chausse de cuir, les armes, le casque et les bijoux dans son coffre à linge, sous un tas de vieilles robes où personne n'irait jamais fouiller.

A peine refermait-elle le coffre que la porte grinça. Fulk venait reprendre sa précieuse clef !

Sur un coup de tête, la jeune fille saisit un châle à liseré d'argent et se l'enroula autour des épaules, prenant garde à paraître aussi grotesque que possible. Elle courut se poster devant le miroir et dut se retenir de rire.

Si son père ne l'accablait pas de lazzis en voyant ça, c'est qu'on le lui avait changé !

CHAPITRE II

LA PÊCHE AU TRÉSOR

Les jours suivants, les circonstances qu'elle espérait favorables jouèrent contre Loyse. Curieux de savoir de quelle épouse il allait hériter, Yvian de Karsten avait envoyé une délégation à Verlaine. La pâle jeune fille dut accepter de se donner en spectacle. Sous sa froideur, l'exaspération la gagnait. Comment s'évader quand on ne vous laisse pas tranquille une minute ?

Elle avait décidé d'agir pendant le banquet, quand ses tourmenteurs seraient ivres. Fulk voulait impressionner les envoyés du duc. Il sortirait ses meilleurs crus : un gage de tranquillité pour elle.

Le mariage approchait. Une tempête s'était levée, la plus violente que Loyse ait jamais vue, avec des vagues assez hautes pour frapper les volets de sa fenêtre. Bettris et la domestique envoyée par Fulk pour coudre la robe de mariée frissonnaient chaque fois que ce bruit sourd se faisait entendre.

Bettris se releva, livide. Ses doigts dessinèrent le signe sacré appris de sa grand-mère, dans le petit village de son enfance.

— C'est la fin du monde, gémit-elle. Seule la sorcellerie...

— Estcarp n'y est pour rien, coupa Loyse. Les sorcières ne lancent jamais de charmes hors de leurs frontières. C'est une tempête, un point c'est tout. Si tu veux plaire au seigneur Fulk, cesse de trembler. Il déteste ça, et Verlaine subit souvent l'assaut des éléments. D'où crois-tu que provienne le trésor ?

Bettris la regarda, un rictus aux lèvres :

— Je suis née sur la côte, et j'ai vu mille tempêtes. J'ai même couru les plages avec les « pêcheurs » de trésor. Tu ne peux pas en dire autant, *duchesse* ! Crois-moi, il y a quelque chose de maléfique là-dedans.

Loyse abandonna la conversation. Elle se tourna vers la domestique, recroquevillée dans un coin, les bras repliés contre la poitrine. La fille du seigneur s'intéressait peu au destin des femmes de la forteresse — qu'elles fussent catins, comme Bettris, ou simples servantes. Elle s'approcha pourtant et demanda :

— Qu'as-tu, ma fille ?

La couturière était mieux soignée que la moyenne. Peut-être avait-elle reçu l'ordre de se laver avant de venir. Elle leva les yeux sur Loyse, qui fut intriguée par son visage. Ce n'était pas une paysanne des environs, ramenée par un soldat puis chassée de son lit pour devenir fille de peine. La peur, dans ses yeux, devait faire partie d'elle depuis longtemps. Mais quelque chose d'autre vibrait sous cette angoisse...

— C'est bien compréhensible qu'elle meure de peur, railla Bettris. Elle est une épave elle-même, rejetée par la mer lors d'une tempête.

Elle flanqua un coup de pied dans la hanche de la fille, la faisant presque tomber dans la cheminée.

— Laisse-la en paix ! cria Loyse.

C'était la première fois qu'elle osait un éclat. Bettris ne sut pas sur quel pied danser. Loyse la mettait mal à l'aise ; elle préféra calmer le jeu.

— Renvoie cette idiote. Elle ne bougera pas le petit doigt tant que la tempête fait rage. Si elle n'était pas notre meilleure petite main, il y a longtemps qu'on l'aurait rejetée à la mer.

Ignorant le venin de la catin, Loyse s'agenouilla près de la servante et lui prit les mains pour la réconforter.

Bettris lui tira sur la manche.

— Comment oses-tu ? siffla Loyse.

— Il se fait tard, ma dame. Le seigneur Fulk n'aimerait pas savoir que tu maternes cette drôlesse alors qu'il doit rencontrer les émissaires du duc pour signer le contrat de mariage. Dois-je lui dire pourquoi tu ne viens pas ?

— J'obéirai à mon père, comme toujours. Mais je ne te donne pas le droit de me sermonner, catin !

Elle lâcha les mains de la domestique à regret et se leva.

— Reste là. Que personne ne t'approche. Compris : personne !

Avait-elle saisi ? Loyse en douta, mais elle ne pouvait rien de plus.

Elle se tourna vers Bettris :

— Je n'ai pas besoin de toi pour m'habiller...

La catin s'empourpra, furieuse.

— Mais tu aurais bien besoin de moi pour savoir plaire à un homme ! Avec un peu de noir sur tes cils, du rouge sur tes lèvres...

Emportée par son élan créateur, Bettris oublia sa colère. Elle étudia Loyse d'un œil critique ; malgré le mal qu'elle pensait de la femme et de ce qu'elle représentait, la jeune fille écouta, fascinée...

— Si tu me fais confiance, ma dame, Yvian aura peut-être envie de te regarder plus d'une seconde. Et puis, il y a d'autres manières de séduire un homme... Je peux t'enseigner beaucoup de choses. Des armes qu'il te sera facile d'utiliser ensuite.

Elle s'approcha de Loyse, les yeux brillants.

— Yvian m'a « achetée » comme je suis, déclara la jeune fille, rejetant la proposition. Il devra se contenter de ce qu'il aura !

Et ce ne sera pas grand-chose, ajouta-t-elle intérieurement.

Bettris haussa les épaules.

— C'est ta vie, ma dame. Tôt ou tard, tu découvriras qu'on ne peut pas toujours la mener à sa guise...

— L'ai-je jamais fait ? demanda Loyse. Sors, maintenant. Comme tu l'as dit, j'ai des choses à faire, et l'heure avance...

Avec sa froideur habituelle, Loyse s'assit à la table où on allait signer le contrat. Les émissaires du duc étaient très différents les uns des autres. Elle trouva intéressant de les observer.

Hunold était un vieux compagnon de l'époque où Yvian exerçait ses talents de mercenaire. L'homme avait une réputation de soldat émérite. On la connaissait jusque dans un coin perdu comme Verlaine. Son apparence n'était pas à la hauteur de sa légende. Loyse s'attendait à un colosse ; elle découvrit un courtisan banal. Son menton arrondi, ses joues lisses et ses longs cils le rajeunissaient. Une trompeuse douceur émanait de lui. Essayant de mettre en rapport l'allure de l'homme et les actes qu'il avait commis, Loyse sentit un frisson courir le long de son échine.

Siric, le prêtre du Temple de la Fortune qui prononcerait demain les mots sacrés, les mains sur la hache de guerre, était un vieil homme replet. Plutôt rougeaud, il puisait sans cesse des confiseries dans la boîte en métal qui ne devait jamais le quitter.

Le seigneur Duarte appartenait à la vieille noblesse. Lui non plus n'était pas à la hauteur de sa charge. Petit, maigrichon, accablé d'un tic à la lèvre inférieure, il ouvrait la bouche uniquement pour répondre à des questions. C'était le seul à s'intéresser un peu à Loyse. Il la regardait souvent, l'œil maussade. Mais elle ne devait attendre ni pitié ni aide de sa part. Pour lui, elle était l'incarnation d'ennuis qu'il aurait volontiers balayés d'un revers de manche.

Le contrat fut vite signé. Demain auraient lieu la cérémonie et le banquet. Loyse pourrait quitter la table dès l'arrivée des premiers cruchons de vin. Le cœur battant à la pensée de son évasion, elle retourna dans sa chambre.

La couturière était sortie de son esprit. Elle sursauta en la découvrant, penchée à la fenêtre. Le vent gémissait au lieu de hurler, annonçant la fin de la tempête.

Enervée à cause de sa prochaine évasion, Loyse traversa la pièce, tira la domestique par la manche, et voulut refermer la fenêtre. Mais elle se figea en apercevant ce que la fille devait regarder depuis un long moment.

Trois grands voiliers affrontaient les flots... Battus par les vagues, cinglés par les dernières bourrasques, ils se dirigeaient vers le cap où tant de navires avaient connu un destin funeste. C'étaient peut-être des membres d'une flotte, coupés des leurs. Ecarquillant les yeux, Loyse fut incapable d'apercevoir une quelconque activité à bord. Ces vaisseaux fantômes voguaient vers leur perte ; à première vue, leurs équipages ne s'en inquiétaient pas.

Loyse ferma la fenêtre. Tout cela ne la concernait pas. Elle regarda la domestique. A sa grande surprise, elle constata que son visage n'était plus marqué par la peur. Ses yeux brillaient d'intelligence et de détermination.

Elle inclinait la tête, comme si elle voulait isoler quelque chose du vacarme de la tempête. Il devint évident, que Loyse n'avait pas affaire à une fille à soldats comme les autres...

— L'heure a sonné..., murmura la femme. Choisis bien, Loyse de Verlaine. Cette nuit se jouera le destin du monde... Les pays, les hommes... Tout se jouera !

— Qui es-tu ? demanda Loyse pendant que la « couturière » continuait à changer sous ses yeux.

Elle ne devenait pas un monstre, ni un animal, comme on murmurait que pouvaient le faire les sorcières d'Estcarp. Mais ce qui se cachait en elle, blessé à mort, luttait pour revenir à la vie et animer son corps meurtri.

— Qui je suis ? Personne... Rien... Mais quelqu'un vient sur les ailes de la tempête, quelqu'un qui est plus grand que ce que je fus jadis. Si tu choisis bien, tu vivras. Si tu choisis mal, tu mourras comme moi, jour après jour, à petit feu.

— Ces bateaux..., commença Loyse.

— Oublie-les ! Seules la vie et la mort importent. Tu as quelque chose de nous en toi, Loyse. Montre-t'en digne et triomphe de l'adversité !

— Quelque chose de *vous* ? Qui es-tu ?

— Je ne suis rien. Demande plutôt qui *j'étais* avant que les soudards de ton père me trouvent sur la plage...

— Qui étais-tu ? obéit Loyse comme une enfant.

— J'étais une femme d'Estcarp... Comprends-tu ? J'avais le Pouvoir. Il m'a été arraché dans la salle d'armes, au milieu des rires gras des hommes. Car le don est en nous tant que nos corps restent inviolés. A Verlaine, je suis devenue une catin, et j'ai perdu ce qui me faisait vivre. Je me suis perdue moi-même...

— Une sorcière !

Loyse n'en fut pas effrayée, mais terriblement intriguée. Le Pouvoir des femmes d'Estcarp était légendaire. Quel dommage de devoir partir maintenant ! Cette femme pouvait lui apprendre tant de choses.

— Oui, c'est le nom que nous donnent ceux qui ne nous comprennent pas. N'espère pas apprendre la moindre chose de moi, Loyse. Je ne suis plus que cendres... Prépare ta volonté et ton intelligence pour aider celle qui viendra...

— Mon intelligence et ma volonté ! ricana Loyse. Je n'en manque pas, mais je n'ai aucun pouvoir. Pas un soldat ne m'obéira. Il vaudrait encore mieux s'adresser à Bettris. Quand mon père est content d'elle, ses hommes la respectent à peu près.

— Saisis l'occasion quand elle se présentera. Choisis bien et remporte la victoire, Loyse de Verlaine.

Elle sortit sans que Loyse puisse esquisser un geste pour la retenir. Lentement, la fille du seigneur Fulk se défit de sa robe de cérémonie.

Elle repensa à la sorcière. Bien des vilenies s'étaient produites à Verlaine depuis que Fulk en était le maître. Pour celles qu'avait subies la jeune femme d'Estcarp, il n'y aurait peut-être pas d'impunité...

Absorbée dans ses pensées, Loyse oublia qu'on était à la veille de son mariage. Pour la première fois depuis qu'elle les y avait cachés, elle n'alla pas vérifier la présence, au fond du coffre, des trésors « empruntés » à l'entrepôt de son père...

Sur la plage, le vent gémissait toujours. Les hommes venus pour s'emparer des richesses rejetées par la mer avaient les yeux brillants de cupidité.

Hunold s'enveloppa dans son manteau et scruta la brume. Pas de doute : ce n'étaient pas des navires de Karsten. L'ancien mercenaire était sûr qu'ils assistaient aux ultimes moments des rescapés d'une flotte ennemie. Pour les intérêts du duc, il était excellent qu'un de ses conseillers surveille Fulk. Le bougre avait tendance à tout rafler. Dès que Yvian aurait épousé le laideron, il faudrait jeter un coup d'œil dans l'entrepôt. Le maître de Verlaine en prenait un peu trop à son aise...

Certains que les trois bateaux n'échapperaient plus au naufrage, les pillards allumèrent leurs lanternes. La pêche miraculeuse allait commencer...

Alors l'impossible se produisit. Le premier voilier disparut au creux d'une vague... et ne reparut pas. Des murmures coururent parmi les hommes. Hunold écarquilla les yeux.

Rien.

Bientôt, ce fut au tour du deuxième navire de s'évaporer. Un instant fendant les flots, le suivant comme englouti, avalé, digéré, anéanti...

Des cris échappèrent des gorges des pillards.

Hunold lui-même frissonna quand le dernier navire se dématérialisa sous ses yeux. Il s'approcha de Fulk, et lut dans ses yeux la même incrédulité mêlée de terreur. Autour d'eux, abandonnant leurs lanternes, les pillards fuyaient vers la forteresse.

Ils étaient loin, Fulk et Hunold aussi, quand un nageur épuisé vint s'échouer sur le sable...

CHAPITRE III

LA SORCIÈRE CAPTIVE

Les soudards de Fulk étaient persuadés que la flotte disparue était une illusion générée par les démons. Rien n'aurait pu les envoyer rôder sur la plage le lendemain matin. Pas même un ordre de leur seigneur, trop avisé pour se risquer à le donner.

Il fallait en finir avec le mariage, avant que des rumeurs atteignent Kars et le remettent en question. Pour amadouer les émissaires du duc, Fulk les conduisit à contrecœur dans son entrepôt et leur offrit un « souvenir » à chacun. Pour Yvian, il leur remit une épée au pommeau incrusté de diamants.

Malgré sa faconde, Fulk suait comme un porc sous sa tunique. Traversant les couloirs, il sursauta plus d'une fois en passant devant une alcôve un peu trop sombre à son goût.

Il nota qu'aucun de ses invités ne faisait allusion aux événements de la veille, et se demanda si c'était bon signe.

Dans la Salle du Conseil, moins d'une heure avant le mariage, Hunold sortit de sous sa chemise un petit objet qu'il posa sur une table.

Siric approcha, se pencha en haletant, et examina la trouvaille de l'ancien mercenaire.

— Eh bien, Hunold, dit-il, retombes-tu en enfance ?
A quel gamin du village as-tu volé ce jouet ?

— Cher révérend, tu vois là un des puissants navires
qui voguaient cette nuit sous nos fenêtres. Regarde la
forme de cette planchette ; et le petit bâton cassé
planté au milieu... C'est un jouet, oui, mais pas d'enfant. Seigneur Fulk, pour la sécurité de Karsten, je dois
poser cette question : quels sombres liens as-tu avec
les sorcières d'Estcarp ?

Fulk sentit le sang lui monter aux joues. L'accusait-
on de trahison ? A grand-peine, il parvint à contrôler
sa fureur. S'il faisait un faux pas maintenant, c'en était
fini de ses rêves.

— Si j'étais complice, serais-je allé à la pêche au
trésor avec mes hommes ? Je crois comprendre que tu
as trouvé cet objet ce matin sur la plage, noble seigneur. Qui te permet de dire qu'il a un lien avec la
magie d'Estcarp ?

— Ce « jouet » fut découvert sur le sable, à l'aube,
c'est exact. J'en sais long sur les illusions des sorcières, seigneur Fulk. De plus, j'ai une preuve : mes
hommes et moi avons ramené un trésor de notre
promenade matinale. Un trésor inestimable ! Marc,
Jothen !

Deux gardes du duc entrèrent, traînant une prisonnière ligotée. Ils semblaient la toucher avec réticence.

— Je t'ai montré un des bateaux ; voici celle qui les
a créés !

Fulk avait l'habitude des naufragés. Neuf fois sur
dix, il ordonnait qu'on les égorge sur-le-champ.
Hunold l'avait un peu décontenancé, mais il se retrou-
vait en terrain familier. Le danger était passé.

Il s'assit, un sourire satisfait aux lèvres.

— Ainsi, tu me ramènes une sorcière ?

Il examina la femme. Un peu malingre, mais du

caractère. La mater serait amusant. Hunold prendrait peut-être plaisir à s'en charger. Ces fichues sorcières n'étaient jamais des beautés. Celle-ci était ravagée comme si elle venait de nager pendant un mois. Il s'intéressa à son accoutrement, et leva un sourcil.

Elle portait du cuir, le genre de tunique qu'on met sous une cotte de mailles. Elle avait donc des armes, avant son naufrage ! Une sorcière en cotte de mailles et une flotte fantôme ? Une expédition d'Estcarp, dirigée contre Verlaine ?

La chose était possible, mais ce n'était pas le moment d'y penser. L'urgence, pour Fulk, c'était Hunold et le moyen de conserver Yvian parmi ses alliés.

Il évita ostensiblement le regard de la captive et se tourna vers l'ancien mercenaire :

— Ignore-t-on, à Kars, que ces sorcières peuvent envoûter un homme en le regardant ? Je vois que tes soldats n'ont pris aucune précaution contre ce type d'attaque.

— Tu sembles en connaître long sur ces diablesses, Fulk, gronda Hunold. *Trop* long, peut-être...

Prudence, pensa Fulk. *Hunold n'est pas le bras droit de Yvian pour rien. Il est aussi intelligent que fort. Il ne faut pas le provoquer ; contentons-nous de prouver que Verlaine n'a pas trahi le duc.*

— Cette sorcière n'est pas la première de son engeance à s'échouer sur notre plage, noble seigneur...

Le maître des lieux sourit.

Voyant cela, Hunold aboya un ordre :

— Marc, mets-lui ta cape sur la tête !

La femme n'avait pas bougé, ni émis un son depuis qu'on l'avait amenée. Peut-être était-elle choquée par le naufrage ? A moins qu'un coup sur la tête ne l'ait privée de son esprit ? Mais aucun homme de Verlaine ne se serait risqué à relâcher sa vigilance. Ces sorcières ne restaient jamais à court de mauvais tours...

Fulk se cala dans son fauteuil et reprit la parole. Il s'adressa à Hunold, mais ses propos visaient la prisonnière :

— On ne t'a jamais enseigné, noble seigneur, à désarmer définitivement ces femmes ? Le procédé est très simple — et parfois très plaisant !

Il insista sur les détails obscènes.

Siric s'esclaffa, les mains sur ses hanches débordant de graisse. Hunold se contenta de sourire.

— Je vois que tu prises les plaisirs subtils, seigneur Fulk, dit-il.

Seul le seigneur Duarte ne broncha pas, gardant les yeux baissés sur ses genoux.

La sorcière ne bougea pas ; aucun son ne sortit de ses lèvres.

— Qu'on l'emmène ! ordonna Fulk, histoire d'affirmer son autorité. Qu'elle soit confiée au sénéchal. Il la gardera intacte jusqu'à notre bon vouloir. Car il y a un temps pour tout. L'heure est venue de nous soucier des plaisirs du duc : il attend sa promise !

Le maître de Verlaine se tut. Nul n'aurait pu deviner avec quelle tension il guettait les prochains mots de Hunold. Tant que Loyse ne se tiendrait pas devant l'autel de la chapelle, les mains sur la hache, Hunold aurait le droit d'annuler le mariage au nom de son maître.

— Oui, oui, souffla Siric. Le mariage ! Il ne faut pas faire attendre la demoiselle, n'est-ce pas, seigneur Duarte ? Les jeunes gens ont le sang chaud !

Le prêtre du Temple de la Fortune jubilait. Yvian écoutait de plus en plus ses conseils et ceux de Duarte. Quand il aurait compris que l'appui du Temple et des vieilles familles suffisait à régner, l'astre de ce rustre de Hunold commencerait à pâlir.

Il faisait froid. Après la pompeuse cérémonie, Loyse avait assisté au début du banquet. Fulk et les autres avaient levé leurs verres à son bonheur. *Son bonheur !* Comme si elle s'en souciait !

Tout ce qu'elle voulait, c'était la liberté...

Revenue dans sa chambre, la jeune fille verrouilla la porte et se mit à l'ouvrage. Elle se débarrassa de ses bijoux et les enfouit dans un sac. Après avoir ôté sa robe, elle se campa devant son cher miroir et s'attaqua à ses cheveux.

Elle ne se ménagea pas, ne laissant que le fin duvet porté d'habitude par les soldats. Suivant le conseil de Bettris, mais à d'autres fins, elle se passa du noir sur les cils et sur les sourcils.

Reculant de deux pas, elle étudia son reflet d'un œil critique. Ce qu'elle vit lui plut... et l'étonna.

Avec cette tête, elle pouvait redescendre dans la salle du banquet et la traverser sans que Fulk la reconnaisse ! Elle courut à son lit, et revêtit les habits d'homme préparés quelques heures plus tôt. Epée à la ceinture, elle jeta un dernier regard sur sa chambre.

Pourquoi hésitait-elle à partir ? Elle y pensait depuis des mois, et il n'y aurait jamais de meilleure occasion. Ce soir, il n'y avait pas grand-chose à craindre des sentinelles. De plus, elle disposait d'une sortie secrète...

Quelque chose la retenait, lui faisant perdre de précieuses minutes. Elle *devait* retourner sur le palier pour savoir ce qui se passait dans la salle du banquet. Une idée idiote, mais obsédante...

Qu'avait dit la sorcière ? Quelqu'un allait venir sur les ailes de la tempête...

Saisis l'occasion quand elle se présentera. Choisis bien et remporte la victoire, Loyse de Verlaine.

Eh bien, l'occasion de fuir se présentait et elle allait la saisir ! Où était le problème ?

Elle ne se dirigea pas vers la sortie secrète, mais vers la porte. Bientôt, elle se retrouva cachée derrière un pilier, à espionner les immondes réjouissances des seigneurs et de leurs sbires.

Fulk et les émissaires du duc avaient manifesté un semblant de dignité durant la cérémonie ; maintenant, ils s'en donnaient à cœur joie. Bâfrant avec des bruits d'égout, buvant comme des porcs s'abreuvent, ils laissaient libre cours à leur nature. Seul le seigneur Duarte gardait une contenance.

Bettris paradait. Interdite de table tant que Loyse y était, elle se rattrapait en exhibant ses charmes avec une rare vulgarité. Loyse remarqua que le seigneur Hunold n'était pas le dernier servi. Il était plutôt bel homme, et la gourgandine rêvait d'ascension sociale.

Elle se pencha pour murmurer à l'oreille de Fulk, qui rit de plus belle, du vin coulant sur son menton en lentes rigoles. S'essuyant du revers de la manche, le maître des lieux lança à Hunold une plaisanterie que Loyse, dans le vacarme, ne saisit pas.

Hunold répondit d'un rire tout aussi gras.

Duarte blêmit et se leva, sans doute pour protester. Une fois encore, Loyse ne parvint pas à isoler ses propos dans le brouhaha.

Hunold s'esclaffa ; Fulk leva son gobelet et le vida d'un trait, les yeux brillants d'insolence.

Le seigneur Duarte s'écarta de la table et se dirigea vers l'escalier. Loyse s'enfonça un peu plus dans l'ombre. Il passa sans la voir.

Dans la salle, Fulk fit signe à un soldat, qui disparut derrière une tenture. Quelques instants plus tard, il revint avec deux hommes qui traînaient un prisonnier ligoté, la tête cachée sous une cape.

Hunold se leva et s'approcha. Les soldats s'écartèrent du prisonnier. L'ancien mercenaire ne fit pas un geste pour libérer la tête du malheureux ; au contraire, il saisit les lacets de sa tunique et tira.

Des cris de stupéfaction montèrent de l'assemblée. Le captif était *une captive* !

Comme un chasseur emporte sa proie, Hunold la prit par la robe et la tira vers l'escalier.

Fulk se leva. Les spectateurs soupirèrent de déception. Hunold se montrait bien égoïste !

L'ancien mercenaire continua d'avancer. Il n'avait aucune envie de partager...

Fulk allait-il le suivre ? Loyse n'attendit pas de le savoir. Que pouvait-elle contre Hunold, ou contre Fulk ? Cette pauvre fille ne serait pas la première à souffrir mille hontes dans les chambres obscures de Verlaine. Jamais Loyse n'avait pris leur défense.

Cette fois, c'était différent. Presque contre sa volonté, la jeune fille retourna à sa chambre, consciente qu'elle allait commettre une folie.

Constatant qu'il était beaucoup plus facile de courir dans ses nouveaux vêtements, elle pressa le pas. Elle se trouvait presque à bout de souffle quand elle arriva devant son miroir.

L'heure n'était plus à se regarder. Loyse chercha le dispositif secret, au milieu du cadre. L'ayant actionné, elle tira le miroir vers elle. Son reflet se troubla : sa psyché était devenue une porte...

Elle donnait sur un sombre couloir. Loyse devait se fier au souvenir des explorations répétées depuis trois ans, époque où elle avait, par le plus grand des hasards, découvert l'existence d'un réseau de passages secrets.

Elle descendit une volée de marches. Si elle ne se trompait pas, les chambres des émissaires se trouvaient par là.

Un premier judas. Elle y colla l'œil et découvrit le

seigneur Duarte, assis devant la cheminée, l'air toujours aussi pensif.

Un second judas : une pièce obscure où devait loger Siric, toujours occupé à faire ripailles.

Un troisième... Hunold était là, penché sur la captive, un ignoble sourire aux lèvres.

Loyse pesa de tout son poids contre le mécanisme d'ouverture du miroir truqué de cette chambre. Rien ne se produisit. Celui-là, personne ne l'avait entretenu, huilé, vérifié jour après jour...

Il était coincé !

Loyse s'arc-bouta, les muscles du cou saillant sous le col de sa chemise. Il fallait réussir. C'était trop bête, à la fin, de jouer le destin du monde sur un peu de rouille !

L'huis céda d'un coup. Entraînée par son élan, Loyse réussit de justesse à ne pas tomber.

Elle tira son épée avec la sûreté de quelqu'un qui s'entraîne depuis longtemps en secret.

Hunold lâcha la femme et se retourna. Vif comme un chat, il bondit vers son ceinturon, accroché au dossier d'une chaise.

CHAPITRE IV

PASSAGE SECRET

Loyse avait oublié son nouvel accoutrement ; il lui fallut un instant pour réaliser que Hunold la prenait pour un rival venu lui gâcher le plaisir. Alors qu'elle exhibait une épée, geste peu chevaleresque s'il en était, l'ancien mercenaire tira son pistolet.

Par bonheur, il ne savait pas trop qui viser : malgré ses mains liées, la sorcière avançait vers lui.

Plus par instinct que par réflexion, Loyse s'empara du manteau de Hunold, posé sur une autre chaise, et le lui jeta. Cela lui sauva la vie. L'impact dévia l'arme, dont le carreau rebondit contre le mur.

Avec un juron, Hunold se débarrassa du vêtement, réarma le pistolet et se tourna vers la femme. Elle ne fit pas mine de se dérober. Campée sur ses jambes, elle regardait son ennemi avec un calme étrange. Ses lèvres s'ouvrirent. Un objet ovale s'en échappa pour venir pendre au bout de la chaîne toujours serrée entre ses dents.

Hunold ne bougea pas, suivant des yeux le mouvement pendulaire de la gemme.

La femme amorça un mouvement tournant. Hunold se déplaça en conséquence, le regard toujours rivé sur le cristal. La captive présenta son dos à Loyse, lui tendant ses mains liées.

Hunold regardait toujours. De la sueur perlait à son front.

Loyse leva son épée. Le tranchant s'abattit plusieurs fois, effilochant la corde et égratignant au passage les poignets de la femme. Quand les liens cédèrent, elle laissa tomber ses bras le long de son corps, trop ankylosée pour les lever.

Hunold bougea. Son bras armé se leva lentement comme s'il devait lutter contre une gravité écrasante. Son front ruisselait de sueur.

Ses yeux brûlaient d'une haine où se mêlait une panique croissante. Son bras décrivit un demi-cercle ; on eût dit qu'il obéissait à une autre volonté que la sienne. Le canon du pistolet vint se placer sous sa gorge.

Un soupir s'échappa de ses lèvres quand il appuya sur la détente.

Un flot de sang jaillit de la pomme d'Adam déchiquetée. Hunold s'écroula sur le lit. La femme ne lui jeta pas un coup d'œil.

Elle s'approcha de Loyse et la regarda pour la première fois. D'un geste de la tête, elle désigna le passage secret.

Elle leva une main vers ses lèvres, sûrement pour récupérer le bijou. N'y parvenant pas, elle le reprit dans sa bouche.

Loyse n'était plus très sûre de vouloir continuer. Toute sa vie, elle avait entendu parler de la magie d'Estcarp. Mais ce n'étaient que des contes, qu'on pouvait croire ou rejeter à volonté. Bettris lui avait décrit la disparition des trois navires, la nuit précédente. Trop absorbée par ses plans d'évasion, elle avait cru à des exagérations de femelle.

Ce qu'elle venait de voir changeait tout. Le Pouvoir était bien réel et il l'effrayait. Titubante, elle s'engouffra dans le passage. Elle n'avait pas le choix, mais elle le regrettait de tout son cœur.

La femme la suivit, marchant avec une décision étonnante pour quelqu'un qui sortait de tant de mauvais traitements.

Loyse referma le passage secret. Elle n'avait aucune envie de traîner près du corps de Hunold. Si Yvian apprenait qu'elle était complice de sa mort, sa vengeance serait terrible.

Elle guida la sorcière jusqu'à sa chambre. Il fallait faire vite. Si Fulk décidait de voir où Hunold en était avec la prisonnière, ou si un domestique entrait... Elle devait être sortie de Verlaine à l'aube, coûte que coûte. Focalisant son esprit sur cette pensée, elle se sentit prête à abandonner la femme.

Revenue à la lumière, la jeune fille sentit sa détermination s'effriter. Elle soigna les poignets de la sorcière avec un onguent de son cru et lui proposa de choisir un vêtement dans sa garde-robe.

La femme parvint à porter ses mains en coupe sous son menton ; elle y laissa tomber la gemme.

— Passe-moi la chaîne autour du cou, s'il te plaît... Mais ne touche surtout pas le cristal.

C'étaient ses premiers mots, prononcés d'une voix rauque.

Loyse obéit.

— Merci, maîtresse de Verlaine. Aurais-tu un peu d'eau ?

Loyse lui donna à boire, tenant le gobelet contre ses lèvres.

— Je ne vois pas de quoi tu me remercies, dit-elle sèchement. Avec l'arme dont tu disposes, tu n'avais besoin de personne.

La sorcière sourit. Loyse perdit un peu de son agressivité. Mais elle se sentait trop jeune, maladroite, et peu sûre d'elle. Cela l'agaçait au plus haut point...

— Je n'aurais pas utilisé la gemme sans ton intervention, maîtresse de Verlaine. Je n'aurais pas pris le risque de la voir tomber entre des mains ennemies, même pour sauver ma vie. Tu as distrait ce pourceau le temps qu'il fallait... Mais oublions ça !

Elle leva les mains à hauteur de ses yeux et examina ses bandages. Regardant autour d'elle, elle remarqua le désordre : la robe froissée, les cheveux sur le sol...

— Aurais-tu décidé de ne pas rejoindre ton époux, duchesse ?

Etait-ce le ton sincère de sa voix, ou quelque effet de son Pouvoir ? Loyse répondit franchement :

— Je ne suis pas la duchesse de Karsten. La cérémonie a eu lieu. Les émissaires de Yvian se sont agenouillés devant moi. (Elle sourit, se souvenant du calvaire que cela avait été pour Siric.) Mais je n'ai pas choisi le duc. Ce mariage me donne l'occasion de fuir, c'est tout...

— Pourtant tu es venue à mon secours...

— Parce que je ne pouvais pas faire autrement ! Quelque chose me retenait ici. Ta sorcellerie, je suppose ?

— En un sens... J'ai appelé à ma façon tous les habitants de Verlaine qui pouvaient m'entendre. Il semble que nous partagions autre chose que le risque, dame de Verlaine... Ou plutôt, considérant ta mise, *seigneur* de Verlaine.

— Appelle-moi Briant, mercenaire sans contrat pour le moment.

— Et où vas-tu, Briant ? Chercher un employeur à Kars ? Ou dans le Nord ? On a besoin de mercenaires, là-bas.

— Estcarp est en guerre ?

— Disons que la guerre est en Estcarp. Mais c'est

une autre affaire, dont nous parlerons une fois loin d'ici. Car tu sais comment fuir, je suppose ?

Pour toute réponse, Loyse prit son manteau et son casque.

— Par là, dit-elle en désignant le miroir toujours béant.

— Elle donne sur la mer ? demanda la sorcière, montrant l'unique fenêtre de la chambre.

— Oui.

— Alors, laisse une fausse piste, Briant. Que Loyse meure pour couvrir ta fuite. Tout d'abord, ramasse ces cheveux et brûle-les dans la cheminée.

Comme subjuguée, Loyse obéit pendant que la sorcière ouvrait la fenêtre.

— Ta robe, jetons-la à l'eau. Attends, ce ruban, là, déchire-le et coince-le entre ces deux pierres. Voilà : la jeune duchesse a préféré la mort au mariage ! Avec les indices que nous laissons, personne n'ira chercher plus loin...

Elles s'engouffrèrent dans le passage et le refermèrent derrière elles.

— Accroche-toi à ma ceinture, dit Loyse. Je me repère au nombre de pas. Ne perturbe pas mon compte en m'adressant la parole...

Le chemin descendait. L'air se chargea de senteurs marines. Très loin, le roulement des vagues se faisait entendre, ou plutôt, *deviner*.

— Nous voici à l'intersection qui mène à la grotte étrange, souffla Loyse.

— La grotte étrange ? répéta la sorcière, étonnée par cette appellation enfantine.

— Oui. Je n'aime pas y traîner, mais il le faudra bien. Pour continuer, nous devrons attendre que la lumière de l'aube nous guide...

Elle se remit à avancer, luttant contre l'angoisse. Elle

était venue trois fois dans la « grotte étrange ». L'angoisse était un phénomène normal, car l'endroit semblait promettre dix fois pis que des blessures physiques. L'âme y était en danger — un danger terrible.

— C'est un lieu de Pouvoir ! s'exclama la sorcière.

— C'est la grotte étrange, répéta Loyse, butée comme une enfant.

Les deux femmes ne voyaient toujours rien. Mais elles sentaient que l'espace, autour d'elles, était plus vaste ; l'écho différent de leurs voix confirmait cette impression.

Loyse aperçut un petit point brillant au-dessus de sa tête : la lumière d'une étoile filtrant par une crevasse de la voûte...

Un autre point lumineux apparut. Il flottait dans l'air, minuscule boule jaune. Loyse entendit sa compagne psalmodier des mots qu'elle ne comprit pas. La lumière augmenta ; la jeune fille vit qu'elle venait du bijou de la sorcière.

Des frissons coururent sur sa peau. Elle éprouva une faim inouïe. De quoi, elle eût été bien incapable de le dire. Lors de ses précédentes visites, elle avait eu peur, mais elle était restée un peu pour *contrôler* cette émotion. Maintenant qu'elle l'avait *dépassée*, une sensation impossible à nommer s'emparait d'elle.

A la lueur de la gemme qu'elle portait au cou, Loyse aperçut le visage de la sorcière. Elle regardait autour d'elle, semblant chercher quelque invisible ennemi.

Un flot de paroles incompréhensibles jaillissait de ses lèvres. Parlait-elle à quelqu'un... ou à quelque chose ? Etait-ce un charme de protection ? Loyse l'ignorait. Mais elle sentait qu'une entité assoupie durant des siècles, peut-être des millénaires, était sur le point de s'éveiller...

Qu'y avait-il, tapi dans cette grotte ?

— Il faut partir ! cria la sorcière. Je ne peux pas m'opposer à une telle puissance. Cet endroit est millénaire, différent du Pouvoir que nous connaissons, sans rapport avec l'espèce humaine. On a adoré des dieux, ici, au temps où l'homme ne foulait pas encore la terre. Il reste des traces de cette antique magie... Dis-moi par où aller !

— La lumière de ton bijou nous..., commença Loyse.

Elle ferma les yeux, essayant de retrouver ses souvenirs.

— Par là ! dit-elle enfin.

Les deux femmes partirent au pas de course. La « porte » que connaissait Loyse s'ouvrait au sommet d'une falaise. Dans la pénombre, l'ascension serait risquée. Mais la sorcière semblait sûre de son fait : il fallait fuir !

L'escalade fut un calvaire pour la jeune femme aux mains blessées. Loyse l'aida quand elle put, souvent au risque de trébucher elle-même.

La délivrance arriva. Elles se retrouvèrent à l'air libre et s'étendirent sur l'herbe grasse. Elles reprirent leur souffle en savourant la brise marine.

— La mer, ou la terre ? demanda la sorcière. Cherchons-nous un bateau sur la côte, ou fuyons-nous à pied dans les collines ?

— Ni l'un ni l'autre. Nous sommes dans les pâturages de Verlaine. En cette saison, les chevaux y sont lâchés jusqu'à ce qu'on ait besoin d'eux. Dans une cabane, près d'ici, sont entreposés les selles et les mors des hommes de mon père. Mais il y a peut-être un garde...

La sorcière éclata de rire.

— Un garde ? Que pourra-t-il contre deux femmes décidées ?

Elles repartirent. Loyse savait que les chevaux seraient près de la cabane, là où un bloc de sel avait été placé deux jours avant la tempête. Le bijou ne brillait plus depuis qu'elles étaient sorties de la caverne ; sous ce ciel sans étoiles, il leur fallut marcher prudemment.

Une lanterne brûlait au-dessus de la porte de l'appentis. Loyse vit plusieurs chevaux. Les bêtes colossales réservées aux combattants en armure ne l'intéressaient pas. Il y avait, dans le troupeau, des poneys que les soldats prenaient pour chasser dans les collines. Résistants, courageux, fidèles, ils seraient de parfaits compagnons d'évasion.

Elle en repéra deux, occupés à manger. Ne restait plus qu'à se procurer les harnachements. Du garde, elles n'avaient pas aperçu l'ombre. Avait-il quitté son poste pour profiter du banquet ? Si Fulk découvrait ça, il lui ferait couper la gorge...

Loyse poussa la porte de la cabane. Une odeur forte agressa ses narines. Elle la reconnut sans peine : c'était celle de la bière que les villageois brassaient à partir d'un mélange d'herbes et de miel. Trois chopes suffisaient à assommer le seigneur Fulk, pourtant connu pour sa résistance.

Sur une paillasse, le garde ronflait, abruti par le breuvage.

Loyse eut un sourire méprisant. En silence, elle subtilisa l'équipement dont elle avait besoin.

Les poneys se laissèrent harnacher docilement. Quand les deux femmes furent en selle, la sorcière demanda :

— Où veux-tu aller, Briant le mercenaire ?

— Les montagnes...

Le plan de Loyse s'arrêtait à sa sortie de Verlaine.

— Tu disais qu'Estcarp était en guerre ? questionna-t-elle.

Jamais elle n'avait songé à s'y réfugier. Maintenant qu'elle voyageait avec une sorcière du pays, c'était peut-être la meilleure solution.

— C'est vrai, *Briant*, Estcarp est en guerre. Mais que dirais-tu de Kars, *noble duchesse* ? Pourquoi ne pas aller voir ton royaume incognito, histoire de te renseigner sur l'avenir que tu n'as pas voulu ?

— Kars ? répéta Loyse, stupéfaite.

L'idée fit son chemin dans son esprit. Elle n'avait aucune intention de vivre avec Yvian. Mais Kars était la ville phare des terres du Sud ; elle pourrait s'y faire des alliés, si besoin était. Dans une cité aussi vaste, un mercenaire pourvu d'argent et de bijoux passerait assez facilement inaperçu. Et si Fulk découvrait qu'elle n'était pas morte, jamais il ne la chercherait là !

— Estcarp peut attendre, insista sa compagne. Le pays est en proie aux troubles. A Kars, j'en saurai davantage sur ceux qui tirent les ficelles. C'est un bon point de départ.

Loyse savait que son destin n'était plus entre ses mains depuis sa rencontre avec la première sorcière. On la manipulait, mais elle ne s'en offusquait pas. Au contraire : c'était comme si elle avait trouvé le bout d'une corde qui, si elle osait la suivre, la conduirait où elle avait toujours voulu aller.

— En route pour Kars, approuva-t-elle.

TROISIÈME PARTIE

L'AVENTURE DE KARSTEN

CHAPITRE PREMIER

LA CRYPTE DE VOLT

Cinq hommes gisaient sur la plage d'une crique. L'un était mort, le crâne fracassé. C'était une belle journée, et le soleil cuisait leurs corps à demi nus.

Simon toussa, cracha un peu d'eau, et se dressa sur les coudes. Tous ses muscles le faisaient souffrir ; la tête lui tournait. Il attendit un peu avant de s'asseoir...

Des bribes de souvenirs remontèrent à sa mémoire. Leur fuite de Fort Sulcar avait été un cauchemar. L'explosion du générateur de puissance — d'après Simon, une sorte de réacteur qui alimentait le port et la cité en énergie — avait détruit la forteresse, et ajouté à la force de la tempête. Les trois coquilles de noix avaient vite chaviré...

Simon se passa une main sur le visage, poisseux de sel et de limon, et regarda autour de lui. Quatre hommes... Non, trois, rectifia-t-il, voyant le cadavre.

La mer s'était calmée, les vagues mourantes léchaient les pieds des naufragés. Ils se trouvaient sur une étroite bande de terre dominée par une falaise. A première vue, les prises ne manquaient pas. Pour l'instant, Tregarth n'avait pas la moindre envie d'essayer. Rester là à se dorer au soleil suffisait à son bonheur...

— Ahhh...

Un de ses compagnons se réveillait. Un long bras balaya le sable, chassant un entrelacs d'algues. L'homme toussa et leva la tête. Quand ses yeux rencontrèrent ceux de Simon, un pâle sourire apparut sur ses lèvres.

— Salut, Simon...

— Salut, Koris...

Le capitaine de la garde d'Estcarp s'ébroua.

— En Gorm, on prétend qu'un homme né pour périr des mains du bourreau ne peut pas se noyer... J'ai toujours pensé que je mourrai sous la hache. Les anciens savaient ce qu'ils disaient !

Il rampa jusqu'au troisième survivant, couché sur le ventre, et le retourna. La poitrine de l'homme se soulevait avec une rassurante régularité ; il ne semblait pas blessé.

— Jivin, dit Koris... Un excellent cavalier. Pas très utile, dans notre situation !

Le capitaine semblait si dépité que Simon éclata d'un rire nerveux.

— Tu peux le dire ! On pouvait rêver mieux pour se sortir de là !

Koris s'approcha du quatrième naufragé.

— Tunston !

Dans son hébétude, Simon se réjouit de la nouvelle. Depuis qu'il servait dans la garde d'Estcarp, il concevait un grand respect pour ce sous-officier. Se décidant à bouger, il aida Koris à tirer les deux hommes au pied de la falaise.

— De l'eau... Koris, j'ai soif.

— Moi aussi. Patience. Essaye d'oublier cet affreux goût de sel sur ta langue...

Le capitaine examina la falaise. Il y avait deux manières d'échapper à la crique : nager pour atteindre une plage dégagée, ou escalader la falaise. A l'idée de retourner dans l'eau, l'estomac de Simon se révulsa.

— Ça n'a pas l'air infaisable, dit Koris. On dirait que les prises ne sont pas naturelles...

Il se dressa sur la pointe des pieds, tendit un bras et tâtonna jusqu'à trouver une ouverture dans la roche. Il se hissa, cala ses pieds, et recommença l'opération.

— J'avais raison. On s'est servi d'outils pour creuser ces prises. Elles sont un peu hautes pour moi, heureusement que j'ai de longs bras...

Il redescendit.

— Simon, commence à grimper. Je vais voir si je peux réveiller les autres.

L'ascension n'était pas facile pour un homme pris de nausée. Mais Tregarth en avait vu d'autres. Tant bien que mal, il prit pied sur une saillie, à mi-chemin du sommet. Une caverne s'ouvrait à flanc de montagne. Il fallait espérer qu'elle aboutisse à l'air libre ; l'escalade, à partir de là, devenait impossible : plus de prises, naturelles ou non, et un surplomb infranchissable.

— Simon ! appela une voix anxieuse.

L'ancien colonel se retourna et se pencha.

— Tout va bien ? demanda Koris.

— J'ai trouvé l'entrée d'une caverne...

— On ne te voyait plus ! Jivin et Tunston sont revenus à eux. Attends-nous, on arrive...

Simon n'avait aucune intention d'explorer seul la caverne. Il profita de ce répit pour reprendre son souffle.

Le capitaine apparut. Les deux hommes se serrèrent sur la saillie.

— Et les autres ?

— Jivin est encore sonné. Il monte lentement, Tunston l'aide... Celui qui a creusé les prises cherchait une cachette *vraiment* discrète. On ne voit rien, d'en bas...

Avec difficulté, Jivin se hissa près d'eux. Tunston le suivait.

— Je me fiche que cette grotte soit une cachette, ou qu'elle regorge d'or, dit Simon, pourvu qu'elle nous conduise à la surface, où nous pourrons boire !

— De l'eau, gémit Jivin. Capitaine, as-tu de l'eau ?

— Pas encore, compagnon... Il reste un long chemin à faire...

Les quatre hommes se glissèrent dans la grotte. L'entrée était si étroite que Koris s'écorcha les épaules et les bras.

Il y avait un moyen de remonter. Une sorte de cheminée aux murs couverts de mousse.

Simon s'y engouffra et tendit un bras :

— Un cul-de-sac !

Il avait parlé trop vite. Sur sa gauche, une faible lueur montrait que le tunnel continuait à angle droit.

Là, on pouvait se tenir debout. Les quatre hommes partirent au pas de course. Une terrible déception les attendait : le passage donnait sur une caverne, ni plus ni moins illuminée que le tunnel.

L'origine de la lumière intriguait Simon. Avançant, il découvrit une rangée de petites fenêtres rondes semblables à des hublots. Il ne comprit pas qu'ils ne les aient pas vues de la plage. Les énigmes s'accumulaient...

La lumière suffisait pour que les quatre compagnons distinguent l'unique occupant de la caverne. Il était assis sur un trône sculpté dans la roche, les bras posés sur les accoudoirs, la tête appuyée contre la poitrine comme s'il faisait un somme.

Entendre Jivin soupirer de terreur fit comprendre à Simon qu'ils se trouvaient dans une tombe.

Le silence se fit oppressant, comme si cette sépulture devait devenir la leur. Simon approcha de la chaise en titubant ; la tête lui tournait toujours, et il aurait donné dix ans de sa vie pour un peu d'eau.

Il lança un regard de défi au dormeur. Une épaisse couche de poussière couvrait le trône et son occupant. Tregarth vit quand même que l'homme — qu'il fût un prêtre, un roi ou un guerrier —, n'appartenait pas aux races d'Estcarp ou de Gorm.

Sa peau parcheminée était sombre, comme si l'art de l'embaumeur l'avait muée en bois précieux. Ses traits à demi cachés par la poussière témoignaient d'une grande force de caractère. Un nez crochu tel un bec d'aigle dominait le visage, qui se terminait sur un menton pointu. Les yeux, clos, étaient profondément enfoncés dans leurs orbites. Simon crut reconnaître une créature humanoïde dont les lointains ancêtres n'étaient pas des singes mais des oiseaux.

Pour renforcer l'illusion, les vêtements, sous le film de poussière, étaient faits d'une matière semblable aux plumes. Le mort portait une ceinture de cuir. Une énorme hache de guerre était posée en travers des accoudoirs de son trône. Elle semblait si lourde que Simon douta que le dormeur l'eût un jour soulevé.

— Volt ! s'écria Jivin.

Il se lança dans une déclamation incompréhensible pour Simon ; sans doute une prière en une très ancienne langue.

— Je n'aurais pas cru que cette légende était vraie, soupira Koris, venu au côté de Tregarth.

— Volt ? *Vraiment ?* s'étonna Simon.

L'homme de Gorm s'impatienta :

— Oui, Volt à La Hache, celui qui envoie les éclairs dans le ciel. Aujourd'hui ce n'est plus qu'un croquemitaine pour les enfants. Estcarp est une vieille terre, son Pouvoir vient du temps où l'homme n'écrivait pas encore son Histoire, et ne murmurait pas ses légendes.

Volt est encore plus vieux ! Il était là avant l'homme ; son espèce s'est éteinte quand nos ancêtres ne savaient pas encore s'armer de branches et de pierres pour chasser les animaux. Seul Volt a survécu ; il a connu les premiers hommes. Eux aussi l'ont connu — lui et sa hache ! Car dans sa solitude, il les prit en pitié, et, avec sa hache, il leur dégagea le chemin qui mène à la connaissance. Puis lui aussi disparut...

Simon regarda le mort avec un respect nouveau.

— Dans certains pays, les hommes adorent Volt, même s'ils le redoutent parce qu'il était *différent*. Dans d'autres contrées, on le hait, car sa sagesse s'oppose à la férocité des conquérants. Objet de prières ou cible de blasphèmes, il est devenu un dieu *et* un démon. Mais regardez : ce n'était qu'un être vivant, comme nous. Sans doute avait-il d'autres dons, spécifiques à sa race...

Koris leva le bras.

— Moi, Koris, capitaine de la garde d'Estcarp, je te salue de toute mon âme. Sache, Volt, que le monde n'a pas changé depuis que tu t'en es retiré. La guerre fait toujours rage ; la paix n'est qu'un interlude. Aujourd'hui, la nuit éternelle de Kolder menace de tomber sur Estcarp. Debout devant toi, désarmé par la mer, j'implore que tu me donnes ton arme. Si tu m'autorises à me dresser de nouveau contre les hordes de Kolder, que ce soit en brandissant ta hache !

Il avança les mains. Jivin poussa un cri. Même le solide Tunston soupira. Koris sourit quand ses doigts se refermèrent sur le manche de la hache. Le dormeur avait l'air si vivant que Simon craignit de le voir s'éveiller, décidé à défendre son bien.

Koris souleva l'arme sans effort et la leva au-dessus de sa tête. Simon eut peur que le bois pourri ne s'effrite entre ses mains. Il n'en fut rien : tenue par le petit homme au torse colossal, la hache semblait une chose terrifiante et belle comme seules les armes peuvent l'être.

— Merci, seigneur Volt ! cria Koris. Jamais je n'ai tenu pareille arme. Avec elle, les victoires succéderont aux victoires. Je suis Koris, autrefois fils de Gorm. Koris le difforme, le nabot, le mal aimé ! Grâce à cette hache, je deviendrai Koris le Conquérant et ton nom sera plus vénéré que jamais !

Plus tard, pour le salut de sa raison, Simon préféra penser que les vibrations de la voix de Koris avaient provoqué le phénomène.

Le dormeur hocha deux fois la tête, comme s'il donnait son assentiment. Son corps, d'aspect si solide l'instant d'avant, se désintégra sous leurs yeux.

Jivin enfouit son visage dans ses mains et Simon retint une exclamation. Volt, si c'était vraiment lui, avait disparu. Il ne restait plus qu'un peu de poussière sur le trône et la hache toujours serrée par Koris. Avec sa saine logique d'homme du rang promu au mérite, Tunston parla le premier :

— Son tour de garde est fini, capitaine. Le tien commence. Tu as bien fait de lui demander son arme. Je crois que ça nous portera chance...

Koris fit tournoyer la hache dans l'air. Simon se détourna du trône vide. Depuis son arrivée dans ce monde, il avait appris à oublier ses préjugés d'homme du XXe siècle. La magie des sorcières d'Estcarp faisait partie de sa nouvelle vie. Il était prêt à accepter ce qui venait de se passer. Mais la découverte de la Hache de Volt, si fabuleuse fût-elle, ne leur donnait ni à boire ni à manger. Il s'en ouvrit à Koris.

— Simon a raison, renchérit Tunston. S'il n'y a pas moyen de sortir par ici, il faut redescendre et essayer la mer.

Il y avait une issue. Derrière le trône, la paroi formait une arche obstruée par des gravats. Les quatre compagnons se mirent à creuser, leurs couteaux et leurs mains pour seuls outils. Ce travail eût épuisé des hommes en pleine forme ; pour eux, ce fut un chemin de croix. Seule l'horreur de l'eau de Simon, récemment acquise, l'empêcha de renoncer.

Quand le passage fut dégagé, ils se trouvèrent devant une porte à la serrure rouillée par les siècles...

Koris leur fit signe de reculer.

— Laissez-moi faire !

Il leva de nouveau la Hache de Volt. Simon faillit crier, inquiet de voir le magnifique tranchant se briser contre le bois fossilisé.

Koris frappa de toutes ses forces. La porte explosa, libérant une gerbe de lumière qui les aveugla.

Une brise pénétra dans la crypte.

Les quatre hommes finirent de casser la porte. Ecartant un rideau de broussailles, ils émergèrent sur un plateau qui descendait en pente douce jusqu'à un ruisseau. Sans un mot, Simon courut vers cette promesse d'apaisement pour sa gorge en feu.

Il releva la tête de l'eau longtemps après. Regardant autour de lui, il s'aperçut que Koris manquait. Pourtant, il était sûr que le capitaine était sorti avec eux.

— Où est Koris ? demanda-t-il à Tunston.

— Il est allé s'occuper du mort. C'est le devoir d'un officier d'Estcarp. Tu devrais le savoir.

Simon s'empourpra. Il avait oublié le cadavre au crâne fracassé. Même s'il avait rejoint la garde d'Estcarp de sa propre volonté, il ne se sentait pas vraiment à l'unisson de ses camarades. Estcarp était une terre ancienne ; les hommes — et les sorcières ! — semblaient trop différents de lui.

Que lui avait donc promis Petronius, avant son

départ ? Le monde qu'il désirait depuis toujours ? Simon était un soldat ; la guerre faisait rage dans son nouvel univers. Mais ce n'était pas sa manière de se battre. Il se sentait toujours étranger.

Il se souvint de la femme avec qui il avait fui les chiens sans savoir qu'elle était une sorcière. Avec elle, ce jour-là, il avait partagé une authentique camaraderie. Mais cela avait cessé dès l'arrivée de Koris.

Il se demanda ce qu'elle était devenue. Probablement noyée. Elle paraissait trop frêle pour nager pendant des heures...

Il sursauta, agressé par un sentiment qu'il refusait de reconnaître. Il voulait tant s'en tenir strictement à son rôle d'observateur...

Fatigué, il posa sa tête sur ses bras et tenta de se détendre comme on lui avait appris dans les commandos.

Il se réveilla en sursaut, les sens en alerte. Il ne pouvait pas avoir dormi longtemps : le soleil brillait encore haut. Une odeur de cuisine flottait dans l'air. Dans le creux d'un rocher brûlait un petit feu où Tunston faisait griller des poissons piqués au bout de bâtons. Koris dormait, la hache plantée près de lui. Jivin était étendu sur le ventre, au bord du ruisseau. Prouvant qu'il n'était pas qu'un bon cavalier, il pêchait à mains nues.

Tunston leva un sourcil quand il s'aperçut que Tregarth le regardait.

— Sers-toi, Simon, dit-il, désignant les poissons posés à ses pieds. Ce n'est pas de la grande cuisine, mais ça tient au ventre.

Simon se levait quand la brusque réaction de Tunston l'obligea à suivre son regard, braqué sur le ciel. Au-dessus d'eux, un oiseau, noir à l'exception d'un V blanc sur le bréchet, décrivait des cercles de plus en plus étroits.

— Un faucon ! s'écria Tunston, inquiet comme si l'oiseau était plus dangereux qu'une armée de Kolderiens.

CHAPITRE II

L'AIRE DU FAUCON

L'oiseau de proie planait au-dessus d'eux. Aux rubans noués à ses pattes, Simon déduisit que ce n'était pas un animal sauvage.

— Capitaine ! cria Tunston.

Koris s'éveilla et se frotta les yeux avec un geste de petit garçon.

— Capitaine, les Fauconniers !

Koris se leva d'un bond, parfaitement lucide. Il étudia le vol de l'oiseau. Puis, il siffla quelques notes.

Alors Simon admira la merveille de précision et de vitesse que les maîtres fauconniers nomment le « piqué ». Comme une flèche, l'oiseau vint se percher sur le manche de la Hache de Volt. Il poussa un cri.

Koris s'agenouilla près de lui. Avec d'infimes précautions, il saisit un des rubans et l'examina.

— Nalin. C'est une de ses sentinelles. Va, guerrier ailé ! Nous sommes de la même engeance que ton maître, et nous ne lui cherchons pas querelle.

— Espérons, capitaine, que tes paroles arrivent aux oreilles de ce Nalin, commenta Tunston. Les Fauconniers sont connus pour s'assurer radicalement de la sécurité des frontières. Ils posent des questions aux survivants, quand il y en a...

114

— C'est exactement ça, vagabond ! dit une voix derrière eux.

Ils se retournèrent mais ne virent que l'herbe et les rochers. Etait-ce l'oiseau qui avait parlé ? Jivin le regarda d'un œil soupçonneux. Simon refusa de croire à de telles sornettes. Il sortit le couteau glissé dans sa ceinture.

Koris et Tunston ne montraient aucune surprise. De toute évidence, ils s'attendaient à quelque chose de ce genre. Le capitaine regarda l'oiseau :

— Je suis Koris, capitaine d'Estcarp, amené sur ces rivages par une tempête. Voici mes compagnons : Tunston, Jivin, et Simon Tregarth, un étranger qui a juré fidélité à la Gardienne. Par le Serment de l'Epée et du Bouclier, par le Sang et le Pain, je demande l'hospitalité que nous nous devons quand nos pays sont en paix.

Le faucon poussa un cri et s'envola.

— Attendons. Ils vont nous envoyer un guide, ou une volée de flèches dans le dos.

— Tu crains un ennemi invisible ? s'étonna Simon.

— Invisible, mais bien présent, tu peux m'en croire. A chaque commandant ses mystères. Les Fauconniers n'en sont pas avares. S'ils envoient un guide, nous aurons eu de la chance. (Il flaira l'air.) Inutile de mourir de faim en les attendant.

Simon mangea son poisson sans cesser de surveiller l'autre berge. Ses compagnons paraissaient ne pas trop s'en faire. Lui ne comprenait toujours pas le mystère de la voix jaillie de nulle part. Mais il voulait faire confiance à Koris. S'il ordonnait d'attendre, eh bien, il attendrait ! Ça n'interdisait pas de poser des questions...

— Qui sont les Fauconniers, capitaine ?

— Comme Volt, ils appartiennent à l'histoire et à la légende. Mais ils sont moins anciens.

« Au début, c'étaient des mercenaires venus sur des bateaux sulcars après avoir perdu leur forteresse à cause d'une invasion. Pendant un temps, ils ont servi d'escorte aux marchands, sur terre et sur mer. Mais ils n'étaient pas des marins, ni même des caravaniers. Leur vraie patrie, c'était la montagne ; ils y étaient nés. Ils vinrent voir la Gardienne d'Estcarp et lui proposèrent de surveiller la frontière sud contre le droit d'habiter dans les montagnes.

— Un marché des plus avantageux ! coupa Tunston. Dommage que la Gardienne n'ait pas accepté.

— Pourquoi cela ? demanda Simon.

Koris sourit amèrement :

— Simon, tu es parmi nous depuis assez longtemps pour savoir qu'Estcarp est un matriarcat. Les femmes dirigent parce qu'elles ont le Pouvoir ; les hommes sont bons à manier l'épée et la charrue.

« Les Fauconniers ont d'étranges coutumes. C'est un ordre exclusivement composé de mâles. Deux fois l'an, de jeunes hommes sont envoyés dans les villages des femmes — séparés des leurs —, pour assurer le renouvellement de l'espèce. Nous faisons de même avec les étalons et les juments. Chez les Fauconniers, il n'est pas question d'affection, de passion ou d'égalité entre les hommes et les femmes. Pour eux, elles ne sont que des génitrices...

« Aux yeux des sorcières, tu comprends bien qu'ils incarnaient la barbarie. La Gardienne déclara que le Pouvoir, offensé, déserterait Estcarp si ces rustres vivaient à nos frontières. Elle les autorisa quand même à traverser le pays pour chercher des montagnes. S'ils s'installaient au-delà des frontières, les sorcières ne leur feraient pas la guerre. Tout cela se passait il y a plus de cent ans.

— Et ils ont trouvé leur terre promise, devina Simon.

— Oui, répondit Tunston. Par trois fois, ils ont fait mordre la poussière aux hordes de Karsten. La terre qu'ils ont choisie est leur meilleure alliée.

— Tu disais qu'Estcarp avait refusé leur amitié, fit remarquer Simon. Que signifie ce serment de l'Epée et du Bouclier ? On croirait qu'il existe un accord secret entre vous...

Koris baissa les yeux sur son poisson, pressé d'en retirer les arêtes. Puis il sourit et Tunston éclata de rire. Seul Jivin semblait maussade, comme s'il pensait que certaines choses devaient rester secrètes.

— Les Fauconniers sont des hommes...

— ... Et les gardes d'Estcarp aussi ! devina Simon.

Le sourire de Koris s'élargit. Jivin se renfrogna davantage.

— Ne te méprends pas, Simon. Nous respectons les détentrices du Pouvoir. Mais la nature même de leur vie les tient éloignées de nous. Tu sais qu'elles perdent leur don quand elles deviennent *vraiment* des femmes. Je suppose qu'elles se méfient des mâles...

Il se tut un instant, pensif.

— Pour elles, les coutumes des Fauconniers sont démoniaques. Nous n'apprécions pas la manière dont ils traitent les femmes, mais nous respectons leur bravoure. Comme je l'ai dit tout à l'heure, il n'y a pas de querelle entre nous. Le jour viendra où les deux camps s'en féliciteront...

— C'est vrai ! intervint Tunston. Que la Gardienne le veuille ou non, si le duché marche sur Estcarp, les Fauconniers se trouveront au milieu ! Tout le monde en a conscience ; ces derniers hivers, la Gardienne a fermé les yeux quand des convois de vivres sont partis pour les montagnes des Fauconniers, affamés par la neige.

— Des femmes et des enfants mouraient de faim dans les villages, objecta Jivin.

— Oui. Mais il y avait de quoi nourrir le double de bouches, lui rappela Tunston. Les hommes...

— Le faucon ! cria Jivin. Il est revenu !

L'oiseau noir et blanc tournait au-dessus d'eux. Cette fois, il servait d'éclaireur à un petit groupe d'hommes qui firent halte à quelques dizaines de mètres des quatre gardes.

Ils montaient des poneys parfaits pour patrouiller dans les montagnes. Chacun avait un bâton fourchu sur lequel se perchait un faucon. Un seul était vide : sans doute celui de l'éclaireur...

Comme les gardes d'Estcarp et les hommes de Fort Sulcar, ils portaient des cottes de mailles et de petits boucliers ronds. Leurs casques, en forme de têtes de faucon, leur donnait une allure plus inquiétante.

— Je suis Koris, fidèle serviteur d'Estcarp, déclara le petit homme, hache sur l'épaule.

Le cavalier au bâton vide siffla. Le faucon piqua et se percha sur la fourche.

— Nalin, des montagnes frontières, dit l'homme.

— La paix règne entre nous, fit Koris.

— La paix règne entre nous. Le Seigneur des Ailes ouvre l'Aire du Faucon au capitaine d'Estcarp...

Simon n'eût pas cru possible que ces poneys puissent porter double charge. Quand il monta derrière un Fauconnier, il découvrit que l'animal se souciait comme d'une guigne d'un cavalier supplémentaire.

La petite colonne se mit en mouvement sur des routes sinueuses et escarpées.

Simon engagea la conversation avec le Fauconnier :

— Je connais mal les terres du Sud. Est-ce la route des montagnes ?

— C'est un des chemins que nous laissons ouverts aux marchands. Les deux parties en profitent. Tu dois être l'étranger qui s'est engagé dans la garde d'Est-carp...

— C'est moi.

— Les gardes sont de fiers guerriers ; leur capitaine ne tourne jamais le dos à une bataille. La mer semble vous avoir laminés...

— Nul ne commande à la tempête, éluda Simon. Nous avons survécu. C'est déjà bien.

— Réjouis-toi de ne pas t'être échoué plus au sud, l'ami. Les pillards de Verlaine *accueillent* tout ce qui vient de la mer, sauf les hommes. Les choses risquent d'empirer quand le duc prendra possession de son nouveau domaine.

— Verlaine appartient à Karsten ? demanda Simon, qui ne manquait pas une occasion d'en savoir plus sur son nouveau pays.

— La fille du seigneur de Verlaine va épouser le duc. D'après les coutumes de ces imbéciles, la possession d'une terre est liée aux femmes ! Tout le monde pense que le duc tirera profit de ces lois absurdes pour annexer Verlaine. On parle d'un fabuleux trésor et l'endroit est idéal pour la pêche aux épaves. Nous avons souvent prêté main-forte aux marchands de Sulcar menacés par ces charognards...

— Vous êtes alliés aux gens de Fort Sulcar ?

— C'est grâce à leur bateau que nous avons fui l'enfer qu'était devenue notre patrie, étranger. Fort Sulcar peut compter sur nous depuis ce jour.

— Il n'en aura plus jamais besoin !

Simon regretta aussitôt ses paroles. Mais le mal était fait.

— Tu as des nouvelles, étranger ? Nos faucons volent loin, mais le fort leur est inaccessible. Qu'est-il arrivé ?

Simon ne savait quoi répondre. L'autre allait s'impatienter, c'était sûr. Par bonheur, le cri aigu d'un faucon le tira d'embarras.

— Lâche ma selle et saute à terre ! lui ordonna le Fauconnier.

Simon obéit. Les quatre gardes d'Estcarp furent largués sur le chemin tandis que les Fauconniers partaient à bride abattue.

— Suivez-moi ! cria Koris.

Il courut, ses jambes grêles le propulsant à une vitesse que seul Simon put égaler.

Ils entendirent le bruit du métal cognant contre le métal. On se battait dans un défilé, droit devant eux.

— Les forces de Karsten ? demanda Simon.

— Je ne crois pas. Il y a des brigands dans ces régions. Nalin m'a dit qu'ils se faisaient de plus en plus audacieux. Un péril de plus...

Le petit homme continua, sans cesser de courir :

— Alizon nous menace au nord, les Kolderiens viennent de l'ouest, le duché de Karsten est prêt à frapper, et les brigands s'agitent. Les loups et les oiseaux de proie rêvent depuis longtemps de se partager la carcasse d'Estcarp. Tu verras qu'ils s'égorgeront autour des derniers os. Certains hommes naissent au crépuscule et s'enfoncent dans la nuit leur vie durant...

— Est-ce le crépuscule pour Estcarp ?

— Qui peut le dire... Ah ! Ce sont bien des brigands !

La bataille faisait rage. Les Fauconniers avaient mis pied à terre ; l'étroitesse du défilé annulait l'avantage d'être à cheval. Au corps à corps, les brigands ne faisaient pas le poids. Mais il y avait des tireurs embusqués dans les rochers. Eux étaient vraiment dangereux.

Koris contourna la position de deux de ces tireurs. Simon parvint à se placer en surplomb d'un troisième. Un caillou gros comme le poing lancé d'une main sûre mit le brigand hors combat. Il fallut quelques secondes à Simon pour le soulager de son arme et de ses munitions.

Les faucons participaient à l'échauffourée, piquant sur les brigands, leur lacérant le visage et le dos. Simon tira deux fois et fit mouche. Un rictus se dessina sur ses lèvres : un peu de l'humiliation de la défaite de Fort Sulcar serait lavée dans le sang de ces malandrins.

Koris avait exécuté les deux tireurs ; hache levée, il se précipitait dans la mêlée. L'énorme tranchant fit des ravages. Ce dernier coup du sort démoralisa les brigands. Ils battirent en retraite.

Fuir les hommes était difficile ; échapper aux faucons tenait de la gageure. Bientôt, il ne resta plus un brigand debout. Koris et un Fauconnier passèrent les corps en revue, égorgeant les blessés. Simon détourna le regard.

Au sifflement de leurs maîtres, les faucons abandonnèrent le charnier. Les Fauconniers avaient perdu deux hommes, dont les corps furent attachés en travers de leurs selles. Il y avait quelques blessés. Comparées à celles des brigands, ces pertes étaient dérisoires.

Simon monta en croupe derrière un autre Fauconnier, beaucoup moins bavard que le précédent...

La nuit tombait vite dans les montagnes. Le petit groupe chevauchait sur un chemin encore sinueux, mais beaucoup plus large que le précédent. Bientôt, la forteresse — l'Aire des Fauconniers — fut en vue.

Simon ne put retenir un sifflement admiratif.

Il avait été impressionné par les murs ancestraux d'Estcarp. Ce qu'il avait vu de Fort Sulcar, avant le brouillard, parlait en faveur de ses architectes.

Le fort des Fauconniers appartenait à la montagne, comme s'ils avaient aménagé et agrandi un réseau naturel de cavernes. L'endroit ne pouvait pas être pris. Il fallait, pour le détruire, rayer le pic de la carte. Même une armée moderne — du point de vue de Simon — n'aurait pas su par quel bout s'y prendre.

Ils entrèrent par un pont-levis juste assez large pour laisser passer un cheval. Comment les Fauconniers faisaient-ils pour le ravitaillement ? Simon avisa des fenêtres, très haut. Peut-être avec des cordes, un système rudimentaire de monte-charge...

Arrivés dans la cour, tous mirent pied à terre. Simon chercha ses compagnons. Il aperçut la haute silhouette de Tunston, qui aidait un Fauconnier blessé à descendre de selle. Koris et Jivin n'étaient pas loin. Simon alla les rejoindre.

Les hommes d'Estcarp eurent le sentiment qu'on les oubliait. Des palefreniers se chargeaient des chevaux. Les Fauconniers, leur oiseau sur l'épaule, partaient dans toutes les directions.

Un officier finit par s'intéresser à eux.

— Le Seigneur des Ailes vous recevra bientôt, hommes d'Estcarp. Par le Sang et le Pain, par l'Epée et le Bouclier, soyez les bienvenus.

Koris prit sa hache et salua l'officier, inclinant le tranchant vers le sol.

— Par l'Epée et le Bouclier, compagnon des faucons !

CHAPITRE III

UNE SORCIÈRE À KARS

Simon s'assit sur l'étroite couchette, ses mains serrant son crâne douloureux. Il émergeait d'un cauchemar terrifiant de réalisme dont ne subsistait que la terreur. Il ouvrit les yeux : autour de lui se précisèrent les contours de sa petite chambre, dans la forteresse des Fauconniers. Sa tête lui faisait toujours mal. Mais il y avait plus important : il devait obéir à un ordre, ou satisfaire une demande. C'était terriblement urgent.

Mais de quoi s'agissait-il ?

La douleur s'estompa. Le sentiment d'urgence perdurant, Simon préféra se lever. Il passa les vêtements de cuir fournis par ses hôtes et sortit. On ne devait pas être loin de l'aube...

Ils étaient à l'Aire depuis cinq jours. Koris comptait partir bientôt pour le nord. Le capitaine ne craignait pas les bandes de brigands qui infestaient la région. Son but était de gagner les Fauconniers à la cause d'Estcarp. Il avait bien avancé. De retour à la capitale, il ferait jouer son influence contre les préjugés des sorcières ; ainsi, les hommes aux casques en forme de tête de faucon et les gardes pourraient lutter côte à côte.

La chute de Fort Sulcar avait inquiété les Fauconniers, d'habitude placides. Les préparatifs de guerre occupaient tous les bras disponibles. Dans les souterrains de l'étrange forteresse, les forgerons frappaient sans relâche le métal. Un peu à l'écart, une poignée de techniciens travaillaient sur les bagues équipant les pattes des faucons. Ce n'étaient pas que des « fiches signalétiques ». Grâce à elle, l'oiseau pouvait communiquer ce qu'il voyait à son maître.

Le secret de ce dispositif était jalousement gardé. Tregarth pensait qu'il s'agissait d'un émetteur/récepteur « classique ».

Cette idée le perturbait. Des hommes qui se battaient avec des épées n'auraient pas dû produire de tels instruments. Un décalage comme celui-ci, tant en connaissance qu'en technique, était déconcertant. La magie des sorcières, adaptée à l'époque, était plus facile à accepter que les micros et les caméras — et les haut-parleurs ! — que les faucons portaient à la patte.

Simon monta une volée de marches taillées à même la roche. Dans le lointain se découpait le profil de plusieurs pics. Les jours de beau temps, on apercevait, nichée entre deux monts, l'amorce des plaines du duché de Karsten.

Karsten ! Fasciné par cette vision, Simon sursauta quand la voix d'un garde retentit.

— Tu as un message, étranger ?

Un message ? Ce mot eut un étrange écho dans le cerveau de Tregarth. Son crâne lui fit atrocement mal. Il éprouva de nouveau la certitude qu'il *devait* faire quelque chose. C'était une sorte de prémonition. Sur la route de Fort Sulcar, il avait prévu le danger. Cette fois, on ne l'avertissait pas. On lui donnait un ordre : Koris et les autres pourraient repartir vers le nord, mais lui devait aller au sud.

Simon cessa de se défendre contre la force mystérieuse. Il irait là où on le lui ordonnait.

— Du nouveau, dans le Sud ? demanda-t-il.

— Pose cette question au Seigneur des Ailes, étranger, répondit l'autre, méfiant.

Simon reprit son chemin.

— Sois sûr que je le ferai ! cria-t-il au garde.

Avant de se rendre chez le maître de l'Aire, Tregarth se mit en quête de Koris. Il le trouva dans les écuries, occupé à préparer le départ.

— Que veux-tu ? demanda-t-il à Simon.

— Esclaffe-toi si ça te chante, mais ma route me conduit au sud.

— Tu t'intéresses à Karsten ?

— Non. Je dois y aller, c'est tout... On... on veut que je m'y rende.

L'ancien colonel n'avait jamais été doué pour exprimer ses sentiments. Alors, quand ils étaient si complexes...

— Et... comment te l'a-t-*on* fait savoir ?

C'était la froide question d'un officier écoutant un rapport. Simon se sentit dans son élément.

— J'ai fait un cauchemar, juste avant de me lever. Quand j'ai vu un peu de Karsten, entre les pics, j'ai su que ma route allait par là.

— Et le rêve ?

— J'étais en danger. Je n'en sais pas plus.

— Qu'il en soit ainsi ! J'aimerais mieux que tu aies davantage de pouvoir, ou pas du tout... Mais si *on* t'envoie au sud, nous irons !

— Nous ?

— Tunston et Jivin peuvent aller à Estcarp. Les Kolderiens ne sont pas encore capables de traverser la barrière de pouvoir. Tunston se chargera de rallier les gardes à mon projet, et je le crois apte à convaincre la Gardienne. Je suis né en Gorm, qui est aujourd'hui dominée par les démons. Je sers Estcarp de mon mieux depuis que la Gardienne m'a accueilli et protégé. Le temps est venu de lutter à l'extérieur du pays, hors des rangs de la garde...

Il se tut, de la tristesse au fond des yeux.

— Je suis de Gorm, Simon ! Qui te dit que le danger, à travers moi, n'atteindra pas Estcarp ? Tu as vu ce que les Kolderiens ont fait à des hommes que je connaissais. Qui sait ce qu'ils peuvent accomplir d'autre ? A Fort Sulcar, ils sont venus par les cieux...

— Ça n'avait peut-être rien de magique. Dans mon monde, le transport aérien est chose banale. Si seulement je les avais vus arriver ! Je suis sûr que je comprendrais...

Koris ricana.

— Nous aurons d'autres occasions d'observer leurs méthodes, je le crains. Mais je dis ceci : si tu te sens obligé d'aller au sud, ce n'est pas pour rien. Et deux épées, ou plutôt, une hache et un pistolet, valent mieux qu'un seul pistolet. L'appel que tu as reçu vient sûrement de la sorcière qui était avec nous à Fort Sulcar. Elle est toujours vivante et doit avoir besoin d'aide.

— Comment sais-tu que c'est elle ? objecta Simon. Et par quel moyen m'a-t-elle contacté ?

Il avait déjà pensé à cette possibilité, que la supposition de Koris confirmait.

— Comment elle t'a contacté ? Les détentrices du Pouvoir peuvent le faire voyager entre les esprits comme les Fauconniers envoient leurs oiseaux dans les airs. Tu as reçu le message parce que tu possèdes une parcelle du Pouvoir.

— Comment est-ce possible ? Seules les femmes...

— Tu n'es pas de ce monde, Simon Tregarth. Il semble que, dans le tien, le Pouvoir ne leur soit pas réservé. Souviens-toi de l'embuscade, sur la route de

Fort Sulcar. Tu l'avais prévue, comme la sorcière. Je viens avec toi, c'est décidé. Je n'ai pas besoin d'autres preuves ; je connais le Pouvoir, et j'ai lutté à ton côté... Le temps de donner mes instructions à Tunston, et nous levons le camp !

Ils partirent équipés avec des cottes de mailles et des armes prises par les Fauconniers sur des ennemis morts. A leur bras, des boucliers vierges indiquaient leur état de mercenaires en quête d'emploi. La garde-frontière des Fauconniers les escorta jusqu'au pied des montagnes et leur indiqua la route la plus sûre.

Simon s'interrogeait chaque soir sur la sagesse de cette équipée. Et pourtant le lendemain, il était pressé de reprendre la route.

Il n'avait plus eu de cauchemar...

Karsten abondait en villages, qui devenaient de plus en plus opulents à mesure qu'ils avançaient.

Le duché était jadis entre les mains d'un peuple apparenté aux habitants d'Estcarp. De-ci de-là, une crinière noire et des yeux d'ébène rappelaient à Tregarth les hommes du Nord.

— Les gens d'Estcarp les nomment les Anciens ; la malédiction du Pouvoir ne les frappe plus, expliqua Koris quand Simon le questionna.

— La malédiction ?

— C'est lié à la nature même du Pouvoir. Celles qui le détiennent n'ont pas de descendance. Chaque année, le nombre de femmes qui convolent et enfantent diminue. Une fille à marier, à Estcarp, choisit entre dix prétendants. Demain, ce sera vingt. Il y a de plus en plus de maisons sans enfants.

« Il en était de même ici. Quand les barbares ont accosté, il n'y avait plus grand monde pour les combattre. La conquête fut facile. Ils tuèrent les hommes et prirent les femmes de force. Avec le temps, des sorciers naquirent parmi les envahisseurs. Ils devinrent les ducs, dont Yvian est le dernier en date. Lui est un homme ordinaire, un mercenaire qui a gagné son titre au mérite. On le dit très intelligent...

— Crois-tu qu'Estcarp ait besoin d'une invasion ?

— C'est possible... Mais il y a eu des mélanges avec des gens de Sulcar. Eux seuls, semble-t-il, peuvent s'unir « fructueusement » à la race d'Estcarp. Il y a un timide renouveau. Mais Gorm peut nous absorber à tout moment... Dis-moi, Simon, la prochaine ville t'inspire-t-elle ? C'est la dernière avant Kars, la capitale...

— Alors il faudra aller jusqu'à Kars... Cette ville-ci ne me dit rien...

Sous son casque, Koris leva un sourcil.

— Là-bas, nous devrons marcher prudemment et toujours regarder ce qui se trame dans notre dos. Le duc est né roturier ; les nobles enragent de le voir au sommet de l'Etat. Dans une atmosphère de conspiration, deux étrangers auront du mal à passer inaperçus. On va nous poser des questions sur nos boucliers vierges. D'autant que nous n'allons pas courir nous enrôler dans l'armée du duc...

Simon réfléchit un moment.

— Les blessés ne s'enrôlent pas, Koris. Mais ils peuvent se rendre à Kars pour consulter les grands médecins qui exercent dans les capitales. Imagine : un homme a reçu un tel coup à la tête qu'il a perdu la vue...

— ... et son frère d'armes l'accompagne chez les médecins de Kars ? Oui, c'est une superbe histoire, Simon. Et qui sera notre guerrier aveugle ?

— Le rôle me revient. Il couvrira toutes les erreurs que je pourrais commettre. Je suis nouveau dans ce monde, Koris. Et il me reste beaucoup à apprendre...

— D'accord ! Nous allons vendre les poneys dès que possible. Ils disent trop clairement que nous venons des montagnes. Nous continuerons en bateau. C'est par le fleuve qu'arrivent la plupart des voyageurs.

Le capitaine se chargea de la vente des montures. Il en tira un très bon prix qui le mit de bonne humeur. Quand il rejoignit Simon sur la barge, il comptait encore sa fortune

— Le sang d'un grand marchand coule dans mes veines ! J'étais prêt à baisser de moitié mes prétentions, mais ces balourds n'ont pas marchandé. Nous avons de quoi payer s'il le faut, à Kars, et un petit surplus pour manger à notre faim pendant le voyage.

Il posa son sac et sa hache, qu'il n'avait plus quittée depuis qu'il l'avait prise — ou reçue ? — des mains de Volt.

Les deux jours suivants, Koris et Simon se laissèrent entraîner par le courant. A l'aube du troisième, les murs et les tours de Kars apparurent au sortir d'un lacet du fleuve. Simon porta les mains à son crâne. La douleur était de nouveau là, fulgurante. Puis elle cessa, laissant dans son esprit l'image d'une ruelle mal pavée, d'un mur et d'un porche. C'était là qu'ils avaient rendez-vous...

— Ce n'est pas lourd, comme indications, fit remarquer Koris quand il l'eut mis au courant. Mais il faudra faire avec...

Ils débarquèrent, Simon jouant les aveugles avec un talent qui força l'admiration de Koris. Il était difficile d'imiter le manque d'assurance de quelqu'un qui ne voit pas où il pose le pied.

Tregarth bouillait d'impatience, sûr de trouver la ruelle sans coup férir, une fois en ville.

Koris parlementa avec la garde. Son histoire, très émouvante pour d'autres soldats, plus quelques pièces glissées au bon moment, aplanirent les difficultés. On les laissa passer.

Une fois loin, le capitaine ricana :

— A Estcarp, un sergent aussi stupide et malhonnête se retrouverait en prison avant de m'avoir décliné son identité. J'ai entendu dire que le Pouvoir avait ramolli le duc. A ce point, ça m'ébahit !

— A propos de ce sergent, ne dit-on pas que tout homme a son prix ?

— C'est vrai. Mais un bon officier doit connaître celui de ses subordonnés, et les utiliser en conséquence. Dans la garde nous...

Il s'interrompit, car Simon venait de s'arrêter net.

— Qu'y a-t-il ?

— On se trompe de direction. Il faut aller vers l'est.

Koris étudia la rue.

— Il y a une allée, à quatre portes d'ici. Tu es sûr ?

— Certain.

Au cas où le sergent aurait été plus malin que prévu, ils marchèrent lentement, Simon se laissant guider.

L'allée ouvrait sur d'autres rues. Abandonnant Simon sous un porche, Koris revint sur leurs pas. Il ne fut pas long.

— Si quelqu'un nous suit, il est meilleur que les espions d'Estcarp. Je ne crois pas ça possible. On continue vers l'est ?

Dans la tête de Simon, la douleur augmentait et diminuait de sorte qu'il pouvait l'utiliser comme un phare ou une corne de brume.

Quand elle faillit lui arracher un cri, il s'arrêta et observa toutes les portes de la rue.

— C'est là, dit-il, désignant un porche.

Il leva la main et frappa.

On ne leur ouvrit pas. Koris s'impatienta.

— Tu es sûr de ne pas te tromper ?

— Oui ! Mille fois oui !

Tregarth frappa de nouveau, puis encore, de plus en plus fort.

Koris lui saisit le poignet.

— Tu veux attirer les milices du duc ? Allons boire un coup dans une taverne, et revenons à la nuit. On pourra forcer la porte...

— Ce sera inutile..., souffla une voix.

Koris saisit sa hache. Simon porta la main à la crosse de son arme.

La porte finit de s'ouvrir en grinçant, révélant un jeune homme très petit, étroit d'épaules, et dont le casque cachait à moitié le visage. Aucun écusson n'ornait sa cotte de mailles.

Il leur fit signe de le suivre. Ils traversèrent un jardin, passèrent une porte, marchèrent le long d'un couloir et arrivèrent dans une salle où une femme les attendait.

Simon l'avait vue en haillons, fuyant une meute de chiens. Il l'avait vue dans la Salle du Conseil, vêtue d'une robe de cérémonie. Il avait chevauché avec elle quand elle portait une épée. Aujourd'hui, elle était vêtue d'une robe de dentelle et de fil d'or, avec des bagues aux doigts et un diadème dans les cheveux.

— Simon !

Elle ne lui tendit pas la main, ne sourit pas, ne le salua pas. Pourtant il se sentit mieux accueilli que jamais dans sa vie.

— Simon et Koris... Venez-vous, mes seigneurs, consulter la plus grande voyante de Kars ?

Un rire cristallin s'échappa de ses lèvres.

Koris posa son sac et sa hache.

— Nous sommes venus pour répondre à ton appel, ma dame. Simon l'a entendu, et j'ai cru en lui. Nous ferons ce que tu diras... Mais sache qu'il est bon de te revoir vivante.

Simon se contenta d'approuver du chef. Une nouvelle fois, il manquait de mots pour exprimer des sentiments qu'il redoutait de définir avec trop de précision...

CHAPITRE IV

PHILTRE D'AMOUR

Koris posa son gobelet avec un soupir d'aise.

— D'abord une nuit dans un lit divin, puis deux repas de roi... Je n'ai plus goûté un vin pareil depuis notre départ d'Estcarp. Ni festoyé en aussi bonne compagnie.

La sorcière tapa légèrement dans ses mains.

— Koris, te voilà bien parti pour devenir courtisan ! Mais que vous êtes patients, mes chers compagnons ! Aucun de vous n'a encore demandé ce que Briant et moi faisons à Kars. Pourtant, vous êtes sous ce toit depuis hier...

— Sous ce toit..., répéta Simon, pensif. Serait-ce l'ambassade d'Estcarp ?

— Bien raisonné, Simon, mais tu te trompes. Non, nous ne sommes pas en visite officielle. Il y a une ambassade d'Estcarp. Elle abrite un seigneur au pedigree impeccable — pas la moindre trace de sorcellerie ! — dont l'unique tâche est de dîner avec le duc en exhibant sa respectabilité jusqu'à l'écœurement. Tout ceci se passe dans un autre quartier... Ce que nous faisons ici...

Elle se tut, ménageant son effet.

— ... nécessite sûrement notre intervention, dit Koris, ou tu n'aurais pas appelé Simon. Veux-tu que nous enlevions Yvian ? S'agit-il simplement de briser quelques crânes ?

Le jeune homme qui leur avait ouvert eut un sourire énigmatique. Le bougre parlait peu, se mouvait avec une étrange lenteur, engouffrait des kilos de sucreries et ne quittait jamais la sorcière. Sans sa cotte de mailles et son casque, il paraissait encore plus frêle. Les deux hommes se demandaient comment des poignets aussi maigres pouvaient manier une épée. Mais son air décidé et son menton volontaire laissaient penser que la sorcière ne l'avait pas recruté au hasard.

— Eh bien, Briant, doivent-ils nous amener Yvian ?

Il y avait une pointe de moquerie dans la question.

Le jeune homme haussa les épaules.

— Si tu veux le voir, pourquoi pas ? *Moi*, je n'y tiens pas !

Ni Koris ni Simon ne comprirent le sens de l'accent mis sur ce « moi ».

— Non, Koris, dit la sorcière, ce n'est pas le duc qui nous intéresse, mais un autre membre de sa maison, la dame Aldis.

— Aldis ? Je n'aurais pas cru que...

— ... nous ayons commerce avec la favorite du duc ? C'est une façon de voir bien masculine, cher capitaine. J'ai mes raisons de vouloir en apprendre plus sur elle, et un excellent motif pour la faire venir...

— A savoir ?

— Son pouvoir sur le duché dépend du désir de Yvian. Tant qu'il partagera sa couche, elle aura ce qu'elle veut : non les bijoux et les robes, mais l'*influence*. Pour l'heure, qui veut s'adresser au duc doit en référer à elle. Même les nobles du plus haut rang. Si Yvian la délaisse, tout cela sera fini. Sans lui, elle ne vaut pas mieux que la dernière catin de Kars. Et elle le sait !

— Le duc commence à se lasser ?

— Il s'est marié.

— Nous l'avons entendu dire dans les montagnes. Avec l'héritière de Verlaine, je crois.

— Oui. Un mariage par la hache. Il n'a pas encore vu sa nouvelle femme.

— Et la favorite s'inquiète de sa rivale ? L'héritière de Verlaine est-elle si jolie que ça ?

— Non ! répondit Briant avec une violence inhabituelle. Elle ne l'est pas du tout !

Simon dévisagea le jeune homme, perplexe. Il ne savait pas où la sorcière l'avait dégotté, ni qui il était vraiment. Un prétendant repoussé par l'héritière ? C'était possible. Et ça expliquerait sa muflerie.

La sorcière éclata de rire.

— Cette opinion n'engage que toi, Briant ! Tu as vu juste, Simon. Dame Aldis ne dort plus tranquille depuis qu'elle sait. Cet état d'esprit est idéal pour nos projets...

— Je peux comprendre qu'elle cherche de l'aide, dit Simon, mais pourquoi la nôtre ?

— Réfléchis ! Même si je ne me présente pas comme une sorcière d'Estcarp, j'ai ma petite réputation de voyante dans la capitale. Ce n'est pas ma première visite, sais-tu ? Sous tous les cieux, les femmes adorent se faire dire leur avenir. Ces derniers jours, deux servantes d'Aldis sont venues me consulter sous un faux nom. Je les ai démasquées, bien sûr, et je leur en ai dit assez pour intriguer leur maîtresse. Elle viendra, vous pouvez me croire...

— Mais que lui veux-tu ? Si son pouvoir sur Yvian s'amenuise... (Koris secoua la tête.) Je n'ai jamais compris grand-chose aux femmes, mais là, je suis perdu. Gorm est notre ennemi, pas Karsten — du moins pas activement...

— Gorm ! C'est bien le problème ! Gorm a aussi ses alliés ici !

— Quoi ! s'écria Koris. Gorm s'est infiltrée dans le duché ?

— C'est plutôt l'inverse. C'est Karsten qui va à Gorm, en tout cas une partie de son peuple...

La sorcière regarda Koris et Simon.

— Sur la route de Fort Sulcar, nous avons vu des hommes de Gorm transformés en machines à tuer. Mais Gorm est une petite île. Sa population n'est pas inépuisable.

— C'est vrai, admit Koris.

— En détruisant Fort Sulcar, Magnis Osberic a emporté avec lui une grande partie des forces de l'assaillant. Son sacrifice n'aura pas été vain. La plupart des bateaux étaient en mer, et les hommes de Sulcar voyagent toujours avec leur famille. Ils ont perdu leur forteresse, mais ils pourront la reconstruire ailleurs. Les Kolderiens auront plus de mal à remplacer leurs zombis.

— C'est pour ça qu'ils n'attaquent pas, murmura Simon. Ils manquent d'hommes.

— C'est ce que je crois. Mais nous savons si peu sur eux, même quand ils se pressent à nos frontières... En tout cas, ils achètent des hommes à Karsten.

— Les esclaves sont des combattants peu sûrs, objecta Simon. Armés, ils se révoltent pour un rien.

— Simon, souviens-toi des anciens frères d'armes de Koris ! Te semblaient-ils capables de rébellion ? Les Kolderiens tuent l'âme et laissent survivre le corps et une infime partie de l'esprit. Depuis six mois, des galères chargées d'hommes partent de Karsten pour Gorm. Le duc a vidé ses prisons ; les disparitions se multiplient dans les quartiers pauvres et les campagnes...

« Pareil trafic ne peut rester secret longtemps. Briant et moi avons reconstitué le puzzle. Les Kolderiens achètent des hommes. S'ils le font à Karsten, pourquoi pas à Alizon ? Je comprends pourquoi j'ai été démasquée, lors de ma dernière mission. Si les Kolderiens ont certains pouvoirs, ce que je pense, ils peuvent détecter les sorcières comme les chiens suivent une piste sur la lande...

Elle se tut, frissonnant à ce mauvais souvenir.

— Ce que tu dis est lourd de conséquences, grommela Koris.

— Briant et moi croyons que les Kolderiens rassemblent sur Gorm une force d'invasion. Un jour, le duché et Alizon découvriront qu'ils ont creusé leur propre tombe par cupidité. Voilà pourquoi je veux passer un marché avec Aldis. Nous devons en savoir plus sur ce trafic. Il ne peut pas exister sans le consentement du duc.

— Les soldats bavardent aussi, ma dame, dit Koris. Quelques cruchons de vin payés au bon endroit pourraient nous en apprendre long.

Elle lui lança un regard dubitatif.

— Yvian est loin d'être stupide. Il a des espions partout. Si tu te montres dans une taverne, capitaine, le duc le saura.

Le petit homme ne parut pas s'en inquiéter.

— Et alors ? Koris de Gorm, mercenaire de son état, n'a-t-il pas perdu ses hommes et sa réputation à Fort Sulcar ? Si on me pose des questions, je saurai quoi raconter. Simon ferait mieux de rester ici, après l'histoire que nous avons montée pour entrer... Et toi, Briant, m'accompagneras-tu ?

A la surprise de Simon, un timide sourire éclaira le pâle visage du jeune homme, qui regarda la sorcière pour lui demander sa permission. A l'étonnement encore plus grand de l'ancien colonel, elle la lui donna avec dans les yeux la pointe de moquerie qu'il avait déjà remarquée.

— Briant n'est pas un pilier de taverne, Koris, mais il est prisonnier ici depuis trop longtemps. Et ne sous-estime pas la force de son bras. Je te garantis que notre ami a des ressources étonnantes... Sous bien des aspects !

— Je n'en douterai pas un instant, ma dame, puisque c'est toi qui le dis !

Il tendit la main vers la hache posée à côté de sa chaise.

— Tu ferais mieux de laisser ce beau jouet ici, capitaine. Il est un peu trop voyant...

Elle tendit la main vers l'arme...

... et se figea.

— D'où vient cette hache ? demanda-t-elle, perdant sa sérénité pour la première fois.

— Tu ne le sais donc pas, ma dame ? Elle m'a été remise par un très ancien dormeur... Je donnerai ma vie pour la protéger.

Elle retira sa main.

— Il te l'a vraiment remise ?

— Je ne mentirais pas sur ce point, s'indigna Koris. Elle me fut remise, et elle ne servira que moi.

— Alors, plus que jamais, je te conjure de ne pas l'exhiber dans les rues de Kars.

— Montre-moi où la cacher, fit Koris à contrecœur.

— Très bien... Mais il faudra me raconter un jour toute l'histoire, capitaine. Viens, je te conduis à l'endroit le plus sûr de cette maison.

Simon et Briant les suivirent dans une pièce aux murs couverts de tentures si anciennes qu'on en distinguait à peine les motifs. La sorcière actionna un

138

mécanisme dissimulé dans une moulure ; une niche secrète s'ouvrit.

Koris approcha.

Le sentiment d'éternité éprouvé devant les murs d'Estcarp, puis dans la Crypte de Volt, saisit encore Simon. De ce mur, de cette pièce, se dégageait une solennité qui lui donnait la chair de poule.

Pourtant, Koris rangea sa hache sans cérémonie et la sorcière referma la niche comme une ménagère sa panetière. Sur le seuil, Briant attendait avec son impassibilité coutumière. Seul Simon réagissait au mystère de ce lieu. Pourquoi ?

Il était si intrigué qu'il s'attarda dans la pièce après le départ de ses compagnons.

Il n'y avait que deux meubles : un fauteuil de bois noir et, en face, une chaise du même matériau. Sur le sol, entre les deux, était disposée une étrange collection d'objets. Simon se pencha, les étudiant comme s'ils allaient lui fournir des réponses.

Il y avait un petit brasero dans lequel ne pouvait brûler qu'un morceau de charbon. Il était posé sur une planchette de bois poli. A côté se trouvaient une coupe en terre contenant un curieux métal gris-blanc et une cornue. Deux sièges et ces objets bizarres... Il devait y avoir autre chose...

Il n'avait pas entendu la sorcière et fut surpris par sa voix.

— Qui es-tu, Simon ?

Il se retourna, chercha son regard.

— Tu le sais. J'ai dit la vérité, à Estcarp. Si j'avais menti, vous l'auriez vu.

— Nous t'avons mis à l'épreuve, et je sais que tu disais la vérité. Mais je te repose la question : qui es-tu ? Sur la route de Fort Sulcar, tu as senti le danger avant moi. Pourtant tu es un homme ! Et tu sais ce qui se fait dans cette pièce. Non, tu le *sens* !

— C'est faux. Je sais seulement qu'il y a quelque chose que je ne peux pas voir...

Une fois de plus, il ne lui cachait rien.

— C'est ce que je disais : tu ne devrais pas sentir ces choses-là, et pourtant... Je joue un rôle ici, qui ne nécessite pas d'autre pouvoir que celui de deviner ce que mes clients ont envie de s'entendre dire. Mon don est fait aux trois quarts d'illusion ; tu le sais. Je n'invoque pas de démon, et mes charmes servent surtout à influencer l'esprit de ceux qui me regardent, attendant des miracles. Mais le Pouvoir existe. Je peux parfois le contrôler. Alors je fais de *véritables* miracles. Je peux prévoir les désastres, même si je ne sais pas toujours quelle forme ils prendront. Et ça, ce n'est pas de l'illusion !

— Je te crois, coupa Simon. Dans mon monde aussi, il y a des choses que la logique ne peut pas expliquer.

— Et des femmes comme moi en sont les gardiennes ?

— Des femmes ou des hommes. J'ai eu sous mes ordres des soldats qui pouvaient prévoir les défaites, ou la mort d'un camarade. J'ai connu des maisons, très vieilles, où rôdaient des entités qu'on ne pouvait pas plus voir ou toucher que celle qui est ici...

Elle le regarda sans chercher à dissimuler son étonnement. Puis sa main gauche se déplaça dans l'air, dessinant un signe cabalistique qui, un instant, brûla sous les yeux de l'ancien colonel.

— Tu as vu ! s'exclama la sorcière.

Etait-ce une accusation, ou un compliment ? Simon n'eut pas le temps de le demander. On venait de frapper à la porte.

— Aldis ! Elle va avoir des gardes avec elle !

Elle traversa la pièce et ouvrit la cache.

— Entre là-dedans ! Ils vont fouiller la maison. J'aimerais mieux qu'ils ne te trouvent pas...

Elle ne lui laissa pas le temps de protester. Simon se tassa dans la niche. La sorcière la referma ; par bonheur, il y avait des trous d'aération et même un judas qui lui offrait une bonne vue sur la pièce.

Simon sentit la colère le gagner. Les choses s'étaient passées trop vite pour qu'il puisse se rebeller. Une fois la surprise passée, il n'avait aucune intention de rester là. Il appuya sur le panneau. Hélas, il n'y avait pas moyen de l'ouvrir : la sorcière l'avait bel et bien enfermé avec la Hache de Volt.

Fou de rage, Tregarth colla l'œil au judas, décidé, au moins, à voir ce qui se passait. La sorcière revenait, accompagnée de deux soldats qui commencèrent à fouiller la pièce.

Simon se tint soudain plus tranquille qu'un mort. Avec l'épaisseur du panneau, les gardes avaient peu de chance de trouver la niche, même s'ils sondaient les murs. Ce n'était pas une raison pour faire l'imbécile...

La sorcière regardait la scène en souriant. Elle tourna la tête pour s'adresser à celle qui attendait dans l'antichambre.

— On fait bien peu de cas de la parole des gens, à Kars, dame Aldis. Cette maison est depuis toujours honnête. Ces fins limiers trouveront sans doute de la poussière et des toiles d'araignée. J'avoue ne pas être bonne ménagère... Mais je jure qu'il n'y a rien d'autre. Nous perdons du temps.

Simon admira la stratégie de la sorcière. Elle parlait comme un adulte agacé par les caprices d'un enfant, invitant Aldis à adopter le même point de vue.

— Halsfric ! Donnar !

Les deux hommes se retournèrent.

— Continuez vos gamineries dans le reste de la maison, si ça vous chante, mais laissez-nous seules !

Les gardes sortirent, penauds. La sorcière entra, suivie d'Aldis, qui baissa sa capuche.

— Je te salue bien bas, ma dame, dit la femme d'Estcarp en verrouillant la porte.

— Au fait, voyante ! Nous perdons du temps, comme tu le remarquais.

Les mots étaient durs, mais la voix de velours qui les prononçait aurait ensorcelé le plus indifférent des hommes.

La favorite du duc n'avait rien d'une catin, n'en déplaise à la sorcière. Elle ressemblait à une pure jeune fille aux charmes en fleur. A la voir, Simon comprit pourquoi elle tenait le duc en son pouvoir depuis si longtemps. A ce genre de femmes-enfants, peu d'hommes savaient résister.

— Tu as dit à Firtha...

— Le strict nécessaire, ma dame : ce que je peux faire, et le prix que je demande. Le marché te convient ?

— Il me conviendra si ton produit me satisfait. Permets-moi de garder ma position à Kars, et je te paierai. Tu n'auras rien avant.

— Tu as une étrange manière de traiter les affaires, ma dame. Tu veux tous les avantages.

— Si ton Pouvoir est aussi grand que tu le dis, voyante, tu dois être capable de punir ceux qui te trahissent. Je ne serai pas assez sotte pour m'y risquer... Dis-moi ce que je dois faire, vite. Je peux me fier à ces deux balourds, dehors, parce que j'en sais assez sur eux pour les faire pendre. Mais la ville est truffée d'espions...

— Donne-moi ta main !

La sorcière d'Estcarp ramassa la petite coupe en

terre. Elle prit la main d'Aldis, et la piqua au bout du doigt avec une épingle. Quelques gouttes de sang tombèrent dans la coupe. La femme ajouta un peu du liquide de la cornue et remua. Puis elle alluma le brasero et souffla sur le charbon.

— Assieds-toi ! ordonna-t-elle, indiquant la chaise.

Aldis obéit. La sorcière lui posa la planchette et le brasero sur les genoux.

— Pense à celui que tu veux, ne garde que son image à l'esprit.

La sorcière versa le mélange de sang, de liquide et de poudre sur le charbon rougeoyant. Elle commença à chanter. Comme offusquée, la présence mystérieuse que Simon sentait depuis son entrée dans la pièce se retira.

Le chant de la sorcière tissa peu à peu un charme puissant. Des images naquirent dans la tête de l'ancien colonel. Elles n'avaient rien à voir avec l'ancestrale magie d'Estcarp. Comprenant leur objet, Simon se mordit la lèvre inférieure. Comment la femme qu'il croyait connaître, vouée à tout jamais à la chasteté, pouvait-elle invoquer des scènes aussi crues ?

Simon sentit son contrôle vaciller. Il se boucha les oreilles pour ne plus entendre l'envoûtante mélopée...

Quand la sorcière eut terminé, il éloigna ses poings de ses tempes.

Elle prit l'étrange biscuit qui venait de cuire dans le brasero, l'émietta dans un morceau de chiffon blanc, et le tendit à sa cliente.

— Une pincée de cette poudre dans sa nourriture, ou dans son vin, et jamais il ne cessera de te désirer.

Son visage était livide ; elle parlait comme une esclave soûle de fatigue.

Aldis enfouit le petit paquet dans les plis de sa robe.

— Je l'utiliserai à bon escient, n'aie crainte. (Elle se leva.) Je te ferai savoir si cela fonctionne...

— Je le saurai, ma dame... Je le saurai...

Aldis sortie, la sorcière s'appuya au dossier de la chaise. Son visage exprimait un profond dégoût ; dans ses yeux se lisait la honte d'avoir utilisé des moyens indignes pour servir une cause honorable.

CHAPITRE V

LA CORNE DE BRUME

Koris polissait la lame de sa hache avec amour. Dès son retour, il s'était précipité sur l'arme. En même temps, il faisait son rapport.

— ... et voilà exactement ce que m'a raconté ce sergent, avant de s'écrouler, ivre mort. Stupéfiant, non ?

— Je parie, ma dame, que tu peux débrouiller cette histoire pour nous..., dit Simon.

Depuis la scène avec Aldis, quelques heures plus tôt, il faisait preuve d'agressivité. En réalité, c'était une protection ; elle le savait peut-être, mais ne faisait rien pour que les choses changent...

— Hunold est vraiment mort à Verlaine. Dame Loyse n'est plus de ce monde. L'essentiel de ce que t'a raconté cet homme est vrai, capitaine. (Elle évitait de s'adresser à Simon.) Que ces événements aient pour cause un raid d'Estcarp est pure invention !

— Je m'en doutais, ma dame. Ce n'est pas notre manière de combattre. Mais cette fable cache peut-être quelque chose ? Sais-tu si des survivants de la garde se sont échoués sur la plage de Verlaine ?

— A ma connaissance, Koris, toi, Simon et vos deux compagnons êtes les seuls rescapés de Fort Sulcar.

— Si le mensonge persiste, cela donnera au duc une bonne raison d'attaquer Estcarp. Hunold était son frère d'armes. Cela m'étonnerait qu'il prenne sa mort avec stoïcisme, surtout si elle est mystérieuse.

— Fulk ! s'exclama Briant, éructant ce nom comme une arbalète crache un carreau. C'est lui qui a inventé ces fadaises ! Elles lui tirent une épine du pied. Mais comment s'est-il arrangé avec Siric et le seigneur Duarte ? Il a dû être très occupé, ce pourceau ! Ton soldat, Koris, connaissait force détails sur le prétendu raid. Cela doit lui venir d'un témoin direct...

— Un messager venait d'arriver par bateau, c'est exact...

— Il venait de la mer ! Fulk n'est pas un balourd, mais la subtilité qu'il déploie pour accréditer son mensonge cache plus que le désir d'échapper au courroux de Yvian.

La sorcière regarda ses compagnons.

— Je n'aime pas ça. Je m'attendais à quelque mensonge : Fulk avait besoin de donner une fable en pâture au duc. Je le crois capable d'égorger Siric et Duarte de ses propres mains pour étayer ses affabulations et brouiller sa piste. Mais tout ceci semble faire partie d'un plan précis comme un mécanisme d'horlogerie. J'aurais cru...

Elle serra les poings.

— Nous sommes expertes en illusions ; je jurerais sur le Pouvoir d'Estcarp que la tempête était réelle. A moins que les Kolderiens ne sachent contrôler les forces de la nature... (Elle se figea.) S'ils le peuvent... Je ne puis croire qu'ils nous manipulent depuis le début. Pourtant...

Elle vint se camper devant Simon.

— Je connais Briant, je sais ce qu'il a fait, et pourquoi. Je n'ignore rien de Koris. Mais sur toi,

146

homme d'un autre monde, je sais fort peu de chose. Si tu es plus que ce que tu parais, peut-être avons-nous accueilli l'ange de notre extermination.

Koris s'arrêta de polir sa hache et lâcha le morceau de tissu.

— La Gardienne l'a accepté, rappela-t-il d'une voix neutre.

Ses doigts s'étaient refermés sur le manche de l'arme. Il se préparait au combat.

— C'est vrai, concéda la sorcière. Ce que Kolder dissimule *doit* pouvoir être découvert par nos méthodes. Ils sont capables de dresser un écran, mais son vide même le rend suspect. Il existe un moyen de savoir...

Elle tira de son décolleté le bijou qu'elle portait depuis le départ d'Estcarp. Elle baissa les yeux sur la gemme, scrutant intensément son cœur opaque. Puis elle ôta la chaîne de son cou et la tendit à Simon.

— Prends-la ! ordonna-t-elle.

Koris poussa un cri et se leva d'un bond. Simon avait saisi la gemme entre ses mains. Au premier contact, elle était aussi lisse et froide qu'une quelconque pierre. Mais elle tiédit et devint de plus en plus chaude. Il regarda ses mains : pas de brûlure. La pierre chauffa encore ; elle prit vie, des éclairs opalescents striant sa surface.

— Je le savais ! cria la sorcière. Non, ce n'est pas Kolder ! Un Kolderien ne pourrait pas tenir la gemme sans souffrir ; nous sentirions déjà l'odeur de chair brûlée ! Bienvenue chez les tiens, mon compagnon dans le Pouvoir !

Elle dessina un autre signe de feu du bout de ses doigts délicats. Simon lui rendit la gemme.

— C'est un homme ! s'indigna Briant. Aucun homme ne détient le Pouvoir.

— C'est un homme d'un autre temps, d'un autre espace. Les choses sont différentes dans son monde ! Je peux jurer qu'il n'est pas une créature de l'ennemi. Peut-être est-il l'ultime adversaire que Kolder devra affronter ? Pour l'instant, il nous faut...

Sa voix s'étrangla. On venait de frapper à la porte. Koris et Simon l'interrogèrent du regard. Briant porta la main à son arme.

— Dois-je y aller ?

— C'est le signal convenu, mais qui peut venir à cette heure ? Va voir. Sois vigilant.

Briant sortit en trombe, suivi de Koris et de Simon. Quand ils ouvrirent la porte, un homme s'écroula entre les bras du capitaine. Le sang qui couvrait son visage ne suffisait pas à cacher ses traits. Dans ses veines coulait le sang d'Estcarp.

Une clameur montait de la ville. C'étaient les cris d'une foule ; une foule assoiffée de sang.

Briant referma la porte et la verrouilla. Simon et le capitaine aidèrent l'homme à gagner la maison.

Il reprit un peu ses esprits et put saluer la sorcière quand ils l'amenèrent à elle.

Elle versa une petite quantité d'un liquide ambré dans une coupe et la lui tendit.

— Et le seigneur Vortimer ? demanda-t-elle.

— Il a quitté la ville avec ceux qui ont eu la chance d'atteindre l'ambassade. Les autres, on les traque comme des sangliers. Yvian est devenu fou ! Il a ordonné qu'on sonne trois fois la corne de brume pour ceux de notre race, même les Anciens. La chasse est ouverte !

— Il en est là ? souffla la sorcière. Nous n'avons pas un peu de temps ?

— Vortimer m'a envoyé te prévenir, ma dame. Vas-tu fuir à ton tour ?

148

— Pas encore...

— Les trois sonneries signifient qu'on peut nous tuer à tout moment, sans poser de questions. Je ne sais pas quels espoirs tu fondes sur Aldis, mais...

— Aldis ? Je n'attends rien d'elle, Vortgin. Nous sommes cinq... (Elle chercha le regard de Simon.) Il y a plus que nos vies en jeu, compagnon. Songe aux Anciens disséminés dans Karsten. Si nous les prévenons, ils fuiront vers Estcarp, et grossiront nos forces. Mon pouvoir ne suffira pas : il va falloir m'aider, Simon.

— Mais comment ? Je ne maîtrise pas le Pouvoir !

— Tu peux essayer de me soutenir. C'est notre seul espoir.

— Le changement de forme ? devina Koris.

— C'est l'unique moyen. Espérons que les transformations durent assez longtemps.

Vortgin passa sa langue sur ses lèvres tuméfiées.

— Faites-moi sortir de cette maudite ville, et je me chargerai de lever des troupes pour vous. J'ai des cousins dans le duché ; les Anciens seront vite prévenus...

— Venez tous ! dit-elle.

Elle les conduisit dans la pièce où Simon l'avait vue exercer sa magie. Koris s'arrêta sur le seuil.

— J'emporterai ce qui m'a été donné. Je ne veux pas d'une forme qui m'empêcherait de porter le cadeau de Volt.

— Si je ne connaissais pas la valeur de cette arme, je douterais de ton intelligence, Koris. Cette hache n'a pas été fabriquée par la main de l'homme. Cela pourra peut-être marcher... Ne perdons plus de temps ! Simon, pousse les chaises et les objets... Je vais avoir besoin de place.

Quand ce fut fait, la sorcière traça un pentagramme

sur le sol avec sa gemme. Méfiant, Koris laissa tomber sa hache au centre du symbole magique.

— Simon, nous n'allons pas vraiment changer de forme ; le charme crée une illusion qui abusera nos ennemis. Laisse-moi puiser dans ton pouvoir pour renforcer le mien.

Elle récupéra le petit brasero, souffla sur le charbon et posa l'objet à côté de la hache.

— Préparez-vous !

— Déshabillez-vous, cria Koris. Ça ne marche que si on est nu...

Une fumée rouge monta du brasero, piquant les yeux de Simon. La pièce en fut bientôt emplie.

— Placez-vous chacun sur une pointe du pentagramme, dit la sorcière. Simon, viens près de moi...

Il fit ce qu'on lui demandait. La fumée rouge obscurcissant sa vision, il distingua à peine la main qui se tendait vers lui.

Il la prit et la serra.

— A nous de jouer, mon compagnon dans le Pouvoir !

Un chant s'éleva. Simon l'avait déjà entendu, quand il se tenait tassé dans la niche. A cet instant, la mélopée avait éveillé des désirs animaux. Il lui avait fallu lutter pour les faire taire. Maintenant, cette voix pénétrait en lui, apaisante. Il se sentit envahi de chaleur et de tendresse.

Prends ce qu'il te faudra, ma compagne dans le Pouvoir, pensa-t-il.

Sa force vint soutenir celle de la sorcière. Simon ferma les yeux, transporté.

Il ne les rouvrit pas tant que dura le chant.

La sorcière lâcha sa main. C'était fini.

— Rhabillez-vous ! cria la sorcière.

Quand ce fut fait, la fumée se dissipa. Tregarth

regarda autour de lui. Il sursauta en apercevant le visage d'une brute aux dents noires et aux lèvres gercées. Par bonheur, les yeux sardoniques de Koris brillaient sur ce masque. Vortgin n'était guère plus engageant. Quant à Briant et à la sorcière...

Simon eut du mal à en croire ses yeux. La femme d'Estcarp s'était changée en une vieille harpie, parcheminée et repoussante. Rien de plus normal. Mais Briant ! A la place du frêle jeune homme se tenait une splendide créature vêtue d'une robe de dentelle et parée de somptueux bijoux !

Le jeune homme et la sorcière avaient échangé leurs vêtements. Le résultat était saisissant.

— Eh bien, ricana le capitaine, quelle sinistre compagnie nous faisons ! A part notre jeune ami, bien entendu...

— Des tueurs, voilà ce que nous sommes, expliqua la sorcière. Nous étions les proies, nous voici les chasseurs. Briant est une partie de notre butin du jour. Simon, charge cette jeune beauté sur ton épaule. En route ! Koris, n'oublie pas ta hache !

Le capitaine ramassa le cadeau de Volt, provisoirement transformé en un bâton aux deux tiers couvert de crochets. Tregarth préféra ne pas penser aux ravages que provoquait une telle arme...

Les cinq fugitifs traversèrent la ville sans encombre. Tout au long du trajet, Simon dut se souvenir que c'était Briant qu'il portait sur l'épaule, et non une pulpeuse captive. Ce ne fut pas facile, car l'illusion ne se dissipait pas au toucher, comme il l'aurait cru. Il faudrait qu'il en parle à la sorcière ; c'était vraiment surprenant.

En chemin, ils croisèrent plusieurs bandes d'assassins presque aussi patibulaires qu'eux. La folie battait son

151

plein. L'ordre d'Yvian avait réveilié de vieilles haines, attisé d'injustes jalousies. On tuait les Anciens : hommes, femmes, enfants, vieillards. On leur volait leurs biens, souvent fruit du labeur de toute une vie... Simon pensa tristement que l'homme, sous tous les cieux, restait un loup pour l'homme...

CHAPITRE VI

LE FAUCON DE FER

Cela faisait des heures que les cinq compagnons avaient passé les portes de la ville, bien aidés par la pagaille générale et la distribution de leurs dernières pièces. Aucun garde n'ayant songé à demander Briant en paiement, tout s'était passé pour le mieux.

Cachés derrière des ballots de paille, à l'entrée d'un village, Simon, Koris et Vortgin étudiaient la topologie des lieux où ils avaient résolu de se procurer des chevaux. Quatre hommes du duc avaient investi le bourg, forçant les villageois à se réunir. Le chef du détachement approcha du Poteau des Proclamations et porta une corne de brume à ses lèvres.

— Un, deux, trois..., compta Koris.

Il se tourna vers ses compagnons.

— La nouvelle se répand vite. Les trois sonneries ont dû s'entendre à des kilomètres à la ronde. Si tu ne te mets pas vite en route, Vortgin, il ne restera plus personne à prévenir.

Vortgin enfonça son couteau dans le sol comme s'il le plantait dans la poitrine du sonneur de corne.

— Il me faut plus que mes deux jambes...

— Je sais... Il ne reste plus qu'à se servir. (Il désigna les cavaliers.) N'ont-ils pas de splendides étalons ?

— Après le pont, souffla Simon, la route traverse un sous-bois...

Le visage d'emprunt de Koris s'illumina.

— Ils vont repartir. Nous ferions bien de prendre position.

En silence, les trois hommes gagnèrent le lieu de l'embuscade. Les routes du nord n'étaient pas bien entretenues. Les seigneurs et les roturiers locaux n'acceptaient pas la domination de Yvian. A l'exception de la voie principale, tous les chemins ressemblaient à des pistes.

Les bords de celui-ci étaient parfaits pour un mauvais coup. Surélevés, couverts de broussailles, ils dissimulaient l'assaillant jusqu'au dernier moment. L'endroit n'était sûr pour aucun voyageur, et moins encore pour des hommes du duc.

Simon se cacha derrière un buisson. Vortgin se plaça en face de lui, assez décalé pour que les deux alliés ne risquent pas de se tirer dessus. Koris se posta à l'entrée du tournant pour couper la retraite à l'ennemi. Il ne restait plus qu'à attendre.

Le chef des messagers du duc n'était pas un idiot. Un de ses hommes chevauchait devant, scrutant chaque buisson, chaque talus susceptible de dissimuler un homme. Il passa sans remarquer Simon et ses compagnons, et continua sa route. Derrière lui avançaient le chef, corne à l'épaule, et un autre cavalier. Le quatrième homme assurait l'arrière-garde.

Simon tira sur l'éclaireur quand le dernier cavalier arriva à sa hauteur. L'homme vida les étriers.

Le chef fit tourner bride à son cheval pour voir le quatrième cavalier tomber, fauché par un autre tir de Simon.

L'officier dégaina et tira. Il devait avoir des yeux

d'aigle, car le carreau passa à cinq centimètres de l'épaule de Simon.

Le dernier soldat tenta de rejoindre son supérieur. Vortgin sortit de sa cachette, arma son bras et lança sa dague. L'arme se planta dans la nuque de l'homme, ressortant par la gorge après avoir déchiré la trachée-artère.

Koris avait attrapé l'officier au cou avec son bâton. Le sonneur de corne bascula de selle. Le capitaine lui octroya une mort rapide.

Les trois hommes rattrapèrent les chevaux et déshabillèrent les cadavres. Après, ils les cachèrent dans les buissons.

Une fois les cottes de mailles, les armes supplémentaires et les casques attachés sur les selles, Simon et ses deux compagnons partirent retrouver Briant et la sorcière.

Ils arrivèrent en pleine querelle. La vieille parcheminée et la jeune beauté s'affrontaient, le regard lançant des flammes. La dispute fut à peine perturbée par l'irruption des trois hommes.

— Je veux ma véritable forme ! Sur-le-champ !

Simon comprenait le point de vue de Briant. A son âge, où la virilité se cherche encore, se balader en jupons était un supplice. Quant à l'apparence de la sorcière, personne ne se serait plaint qu'elle l'abandonne.

— Il a raison, ma compagne dans le Pouvoir, intervint Simon. Si tu voulais bien nous restituer nos vrais visages...

— Pourquoi perdre du temps ? Nous ne sommes pas encore hors d'atteinte des messagers de Yvian ! Je vois que vous en avez rencontré...

La sorcière prit une cotte de mailles et se la plaqua contre la poitrine.

— Hum... Un peu grande...

Briant choisit un équipement. Les jolies lèvres de son faux visage de femme prirent un pli décidé.

— Je partirai d'ici avec ma propre forme, ou pas du tout !

Simon l'en crut capable.

La sorcière renonça à la lutte. Elle tira un petit sac des profondeurs de sa robe.

— Va au ruisseau, et lave-toi avec une poignée de cette poudre. Mais sois économe ; il en faudra pour tout le monde.

Briant prit le sac. Soulevant ses jupons, il courut vers le ruisseau.

— Et nous ? protesta Simon, prêt à partir à ses trousses.

Koris attacha les chevaux à un arbuste. Son visage d'emprunt était vraiment horrible. Il parvint à lui faire prendre une expression amusée.

— Laisse le gamin se débarrasser en paix de ses froufrous. Il n'a pas protesté jusque-là. C'est déjà bien !

— Tu parles d'or, Koris, approuva la sorcière. Simon, laisse Briant effectuer sa transformation en paix !

Le jeune garçon revint un quart d'heure plus tard, flottant dans les habits du défunt messager du duc. Les trois hommes s'en furent au ruisseau. Koris s'occupa de sa hache avant de prendre soin de lui-même. Simon et Vortgin furent ravis de retrouver leurs traits réels. Tous trois se déguisèrent avec les habits des morts.

Quand ils revinrent, Simon rendit le sac de poudre à la sorcière, qui hésita avant de l'enfouir de nouveau dans ses jupes.

— Vous êtes une compagnie de guerriers, et moi votre prisonnière. Simon, Koris et Briant ne sont pas d'Estcarp. Vortgin, avec le casque, pourra passer inaperçu. Si je redeviens moi-même, on se demandera pourquoi vous ne m'avez pas exécutée. Il vaut mieux que j'attende...

Ils reprirent la route dans cet équipage, la hideuse vieille prise en croupe par Briant. Les chevaux étaient frais, mais cinq compagnons se contentèrent de marcher au trot jusqu'à l'embranchement où Vortgin devait obliquer vers l'est pour alerter les Anciens de la région.

— Nous continuons vers le nord, lui dit la sorcière. Si nous réussissons à prévenir les Fauconniers à temps, les fugitifs pourront traverser leurs montagnes en sécurité. Vortgin, dis aux Anciens de ne pas s'encombrer de leurs biens. Qu'ils abandonnent tout, sauf les armes et les vivres. Pas de chariot, surtout : des chevaux de bât. Bonne chance, et que le Pouvoir te protège !

Koris prit la corne qu'il portait en bandoulière et la tendit à leur compagnon.

— Elle te servira de sauf-conduit si tu rencontres des messagers de Yvian. Bonne chance, frère. Si tu parviens à rejoindre Estcarp, il y aura un bouclier pour toi dans l'arsenal de la garde.

Vortgin les salua et partit au galop.

— Et maintenant, capitaine ? demanda la sorcière.

— Les Fauconniers !

— Tu oublies que je suis toujours une femme, aussi vieille et ridée soit-elle ! Les Fauconniers m'interdiront l'entrée de leur forteresse. Voilà ce que je te propose : Briant et moi camperons à la frontière pendant que Simon et toi irez parler avec ces hommes oiseaux misogynes. Echauffe-leur l'esprit de ton mieux, Koris.

Une frontière bien défendue obligera Yvian à penser à autre chose. Si le Seigneur des Ailes laisse passer nos cousins en paix, nous lui devrons une éternelle reconnaissance.

— Compris, ma dame...

— Encore un détail : n'oubliez pas de retirer vos tuniques. Avec les couleurs du duc, vous vous retrouveriez crucifiés à un arbre avant d'avoir ouvert la bouche...

Aux abords de la frontière, Simon ne fut pas surpris qu'un faucon vienne les survoler. Koris déclina leur véritable identité, et expliqua pourquoi ils se rendaient dans les montagnes.

Vortgin les avait quittés au début de l'après-midi. Le soir tombait. Le capitaine leva une main, imposant une halte.

— Je n'aime pas ça. Mon message aurait dû être relayé par l'appareil de l'oiseau. Des gardes devraient venir à notre rencontre. Quand nous avons quitté l'Aire, le Seigneur des Ailes semblait décidé à s'allier à Estcarp...

Simon leva les yeux vers les montagnes.

— Je nous vois mal nous enfoncer dans ces massifs sans guide. Le soir tombe ; si tu es sûr qu'ils ne suivent pas les coutumes, c'est une raison de plus pour rester loin de leur territoire. Je propose que nous campions...

La voix de Briant retentit, un peu haut perchée, comme toujours...

— Ce faucon ne vole pas normalement ! J'ai vu beaucoup d'oiseaux... Aucun ne vole comme ça.

Tous levèrent les yeux. Pour Simon, l'oiseau noir et blanc avait l'air d'un honnête faucon. Ce n'était pas une référence : il ne connaissait rien à ces animaux !

— Tu peux le faire piquer ? demanda-t-il à Koris.

Le capitaine siffla quelques notes.

Au même moment, le pistolet de Briant pointa vers le ciel. Koris frappa le jeune homme au bras, mais le coup était déjà parti. Ils virent le carreau faire mouche sous le bréchet de l'animal.

Le faucon ne dévia pas d'un pouce. Il continua de planer, imperturbable.

— Je disais bien qu'il n'était pas normal, triompha Briant. C'est de la magie !

Ils se tournèrent vers la sorcière, espérant une explication. Mais son attention était rivée sur l'oiseau.

— Ce n'est pas la magie du Pouvoir, dit-elle à contrecœur. Je n'en sais pas plus. Mais cette chose n'est pas vivante.

— Kolder ! cracha Koris.

— Non, elle n'est pas morte au sens où l'étaient les hommes de Gorm...

— Cessons de bavarder, et essayons de savoir. Je suis sûr qu'il décrit des cercles plus bas depuis que Briant l'a touché. Donne-moi ton manteau, ma dame...

Simon mit pied à terre, prit le vêtement que lui tendait la sorcière et grimpa sur un talus. L'oiseau volait de plus en plus près du sol.

Simon attendit. Au moment propice, il frappa avec le manteau. L'oiseau parvint à ne pas s'empêtrer dans ce filet de fortune ; dévié de sa trajectoire, il alla s'écraser sur le sol, la tête la première.

Tregarth s'approcha. Le corps était couvert de vraies plumes. Mais *dessous* !

Le thorax métallique du faucon laissait apercevoir un enchevêtrement de fils, de roues et de pièces ; un petit moteur, d'une conception inconnue de Simon, avait animé le tout.

— Tu es sûr que les Fauconniers n'utilisent que de

vrais oiseaux ? demanda-t-il à Koris, qui s'approchait.

— Les faucons sont sacrés pour eux. (Le capitaine examina le faux oiseau.) Je ne crois pas qu'ils fabriqueraient un objet pareil... Ce serait un blasphème, comprends-tu ?

— Pourtant, quelqu'un a lancé cette chose dans le ciel...

Ils retournèrent près des chevaux, emportant leur trouvaille. La sorcière examina les restes de l'oiseau, puis regarda Simon.

— Cette chose n'est pas née de notre magie, Simon. Elle n'est pas de ce temps, ni de ce monde... Comme toi !

Briant cria à nouveau, montrant le ciel. Un deuxième faucon tournait au-dessus de leurs têtes. Simon voulut dégainer son arme.

— Non ! C'est un vrai, Simon !

Koris siffla. Docile, le faucon piqua et vint se percher sur le rocher où son imitation métallique s'était écrasée.

— Je suis Koris d'Estcarp, compagnon faucon. Que tes maîtres viennent vite. Les choses vont mal, et elles pourraient empirer.

Il fit un signe de la main ; l'oiseau s'envola.

Simon rangea le faucon disloqué dans ses sacoches.

Peu après, les Fauconniers apparurent dans le soleil couchant. Ils laissèrent la petite colonne approcher.

— Tu es Faltjar, gardien de la passe sud, dit Koris en retirant son casque. Je suis Koris. Je voyage avec Simon, de la garde d'Estcarp.

— Tu as une femelle avec toi ! siffla Faltjar.

— C'est une dame d'Estcarp que je raccompagne chez elle, rectifia le capitaine d'une voix coupante. Nous ne vous demandons pas l'hospitalité ; mais nous savons des choses que le Seigneur des Ailes aimerait connaître...

— Tu peux traverser les montagnes en paix, Koris. Ce que tu sais, confie-le-moi et je le transmettrai au seigneur avant la nuit. Tu as dit que les choses étaient graves. Parle ! Karsten envoie des troupes ?

— La corne a retenti trois fois dans le duché. Les Anciens et les hommes d'Estcarp ont dû fuir. Mais il y a pis. Simon, montre-lui le faucon de fer...

L'ancien colonel obéit à contrecœur. Il ne tenait pas à exhiber la chose avant de l'avoir étudiée.

Le Fauconnier regarda l'oiseau brisé. Il toucha un œil de cristal, écarta les plumes pour mieux voir le métal.

— Et cette chose vole ? demanda-t-il, incrédule.

— Oui. Elle nous a surveillés, comme un de vos faucons...

— C'est très grave, Koris. Tu dois parler au Seigneur des Ailes. Mais tu as cette femel..., cette *dame* avec toi. L'Aire lui est interdite.

La sorcière trancha le nœud gordien.

— Capitaine, laissez-moi camper ici avec Briant. Ainsi, tout sera réglé. Mais écoute-moi bien, Fauconnier : le jour est proche où nous devrons oublier les vieilles coutumes pour survivre. Bientôt cette frontière sera submergée par des hordes comme jamais il n'en exista. Tous les peuples de bonne volonté devront lutter côte à côte !

Il ne répondit pas, ni ne la regarda. Pourtant, il esquissa un salut ; c'était déjà une énorme concession.

— Aide les tiens à dresser leur camp, Koris. Puis suis-nous !

QUATRIÈME PARTIE

L'AVENTURE DE GORM

CHAPITRE PREMIER

LA STRATÉGIE DE LA TERREUR

Une colonne de fumée montait vers les nuages. Simon éperonna son cheval pour aller observer le site : un nouveau revers pour les forces de Karsten, une autre victoire pour sa petite troupe de francs-tireurs. Combien de temps durerait leur bonne fortune, nul ne le savait. Tant que ce serait possible, Tregarth et ses commandos couvriraient la retraite des Anciens.

Ils arrivaient de toute part, par familles, par groupes armés, ou un par un, le visage ravagé d'angoisse et d'épuisement. Vortgin avait rempli sa mission. L'ancienne race revenait au bercail.

Les hommes seuls, parce qu'ils n'avaient pas de famille ou l'avaient perdue dans le massacre, restaient dans les montagnes, grossissant les rangs de la petite armée d'abord commandée par Koris et Simon, puis par ce dernier quand le capitaine avait été rappelé à la capitale pour organiser la défense.

Simon se sentait dans son élément. Expert de la guérilla, il se réjouissait de commander des hommes qui connaissaient le terrain comme leur poche et avaient la faune du ciel et de la terre pour alliée.

Les Anciens n'avaient rien d'équivalent aux faucons dressés des hommes des montagnes. Mais Simon avait été témoin de bien étranges choses. Il avait vu des troupeaux de daims piétiner pour brouiller une piste, ou entendu des corbeaux croasser pour signaler une embuscade de Karsten. Du coup, il prêtait attention à tous les signes, et consultait ses sergents avant chaque escarmouche.

Les Anciens n'étaient pas une race guerrière. Ils maniaient convenablement l'épée, tiraient juste, mais n'éprouvaient aucune exaltation dans la bataille. Pour eux, combattre était une tâche désagréable qu'ils accomplissaient au plus vite, tuant l'ennemi aussi proprement que possible. La sauvagerie dont les troupes de Karsten faisaient preuve quand elles tombaient sur une colonne de fugitifs leur était étrangère...

Un jour, observant un de ces carnages en se retenant de vomir, Simon fut frappé par la remarque d'un jeune combattant aux cheveux et aux yeux noirs.

— Les soldats de Karsten n'agissent pas de leur propre chef...

— J'ai vu de pires horreurs ; des êtres humains les avaient infligées à d'autres êtres humains.

L'homme secoua la tête.

— Yvian est un ancien mercenaire. La guerre était son métier. C'est aussi un chef d'État. Massacrer n'est pas le fait d'un conquérant avisé. Si ses hommes rasent tout, à quoi lui servira de régner sur des ruines ?

— Nous avons vu nombre de charniers. Ce ne peut être le fait d'une seule bande commandée par un sadique...

— Exact. C'est pourquoi je pense que nous affrontons des possédés...

Des *possédés* ! Simon se souvint des hommes de Gorm, sur la route de Fort Sulcar. Kolder, encore ?

Des possédés, des malheureux spoliés de leurs âmes ?

A dater de ce jour, Simon avait résolu de recenser

les carnages. Cette sinistre besogne lui répugnait, mais elle pourrait se révéler utile, même s'il ne parvenait pas à surprendre les auteurs des massacres.

Plus que jamais, il regrettait que la sorcière ne soit partie au nord avec Briant et la première vague de réfugiés.

L'ancien colonel se lança dans une enquête minutieuse. La nuit, allant d'un feu de camp à un autre, il interrogeait les hommes, attentif à la moindre remarque. Les indices s'accumulaient : rapidement, Simon fut convaincu que certains officiers du duc n'agissaient pas normalement. L'armée de Karsten avait subi une infiltration. Un ennemi étranger tirait les ficelles.

Etranger... Simon s'étonnait toujours des décalages techniques constatés à Fort Sulcar ou chez les Fauconniers. Les réfugiés lui apprirent que les « machines à lumière », comme ils les nommaient, étaient venues « d'ailleurs » en des temps immémoriaux. Les Fauconniers lui firent la même réponse à propos des communicateurs de leurs oiseaux. « Ailleurs », « de l'étranger », « de très loin »...

Etait-ce aussi d'« ailleurs » que Kolder tirait sa puissance ?

Simon envoya un messager porter à Estcarp les maigres résultats de ses investigations. Il demanda instamment une réponse des sorcières.

Trois autres faucons mécaniques avaient été détectés dans la montagne. Tous ayant été détruits lors de leur capture, Simon dut se contenter d'examiner des débris. Ils ne lui apprirent rien de plus.

Tregarth chevauchait au côté d'Ingvald, le jeune combattant dont il avait fait son aide de camp. Les deux hommes venaient de quitter les lieux d'un nouveau massacre.

— Ils deviennent de plus en plus cruels, capitaine...
Mais ils n'attaquent toujours pas la frontière en masse.
Je ne comprends pas...

— Yvian veut établir un avant-poste solide. Il
passera à l'assaut après. A mon avis, il attend du
renfort...

— Comment est-ce possible ? murmura le jeune
homme. Comment toute cette violence a-t-elle pu jaillir
d'un seul coup, comme venue de nulle part ? Depuis
dix générations, les Anciens vivaient en paix dans le
duché. Chaque population s'occupait de ses affaires
sans ennuyer l'autre. Nous n'aimons pas la guerre,
capitaine Simon. Pourquoi cette flambée de haine
contre nous ? On croirait un complot préparé de longue
date...

— Un complot, oui, mais peut-être pas ourdi par
Yvian... Ingvald, il me faut un prisonnier ! Un de ceux
qui torturent les tiens puis mutilent leurs cadavres...

— S'il est possible d'en faire un, capitaine, je te le
livrerai...

— Vivant et en état de parler !

— Bien sûr... Tout le monde pense qu'il serait bon
d'interroger un de ces chiens. Mais nous ne les voyons
jamais ; ils laissent leurs victimes derrière eux, comme
une menace pour les survivants.

— C'est une autre partie de l'énigme, dit Simon,
revenant aux questions qui l'obsédaient. Quelqu'un
croit que la vision de la brutalité finira par briser notre
moral. Ce quelqu'un, ou ce quelque chose, ignore
qu'on obtient souvent le contraire avec ce genre de
méthodes. (Il se tut, frappé par une évidence.) A
moins qu'on ne veuille nous monter contre Karsten...
Imagine que le plan de l'ennemi soit de mettre la
frontière à feu et à sang pour attirer le gros des troupes
d'Estcarp et frapper ensuite ailleurs ?

— C'est possible... Peut-être y a-t-il un mélange des deux ? Capitaine, je sais que tu cherches à prouver la présence d'agents étrangers dans les forces de Karsten. J'ai entendu dire que Gorm achetait des hommes, et je comprends tes inquiétudes. Mais sois rassuré sur un point : aucun non-humain ne pourrait s'infiltrer dans nos rangs. Les Anciens ont le talent de détecter l'inconnu. Par exemple, nous savons depuis toujours que tu viens d'un autre monde...

Simon sursauta, mais l'homme lui sourit :

— Rassure-toi, nous ne t'en respectons pas moins. Ta légende grandit, Simon d'un Autre Temps. Mais nous n'avons pas eu besoin des rumeurs pour savoir que tu n'étais pas de notre sang, même si, bizarrement, tu sembles nous être apparenté... Je te le dis : aucun Kolderien ne passerait inaperçu parmi nous. Même chose chez les Fauconniers...

— Comment peux-tu en être sûr ? coupa Simon.

— Les animaux sentent le mal plus vite qu'une sorcière. Grâce aux faucons, les montagnards sont en sécurité...

Avant la fin du jour, Simon découvrit que cette sécurité était relative. Alors qu'il se promenait dans le camp, questionnant les hommes comme à l'accoutumée, il entendit le cri d'une sentinelle qui venait de laisser passer un messager des Fauconniers.

Le cavalier n'obéissait pas à la coutume. La visière de son casque était baissée comme s'il se trouvait parmi des ennemis. Ce ne fut pas le seul indice qui alerta Simon. Tous ses hommes s'étaient levés, inquiets. Un avertissement diffus traversa l'esprit de l'ancien colonel.

Sans réfléchir, il se rua vers le cavalier, l'agrippant par la ceinture. Le faucon perché sur le bâton fourchu ne broncha pas alors qu'on attaquait son maître. Simon ne s'en étonna qu'à moitié...

L'attaque avait surpris le Fauconnier, qui n'eut pas le temps de tirer ses armes. Mais il se laissa tomber sur Tregarth, l'entraînant au sol.

Des mains d'acier cherchèrent la gorge de Simon.

En spécialiste du corps à corps, celui-ci comprit qu'il n'avait pas une chance. L'être qui se cachait dans l'armure du Fauconnier ne pouvait être vaincu à mains nues. Sa force était deux fois supérieure à celle de n'importe quel homme, Koris compris.

Par bonheur, Simon ne luttait pas seul. Dix Anciens, plus peut-être, coururent à son secours, le dégageant de l'étreinte de la créature, qu'ils maintinrent clouée au sol malgré ses ruades.

Simon se releva, le souffle court.

— Enlevez-lui son casque !

Ingvald lutta un moment avec la fixation, puis dégagea le visage du cavalier.

Simon s'approcha. Les Fauconniers avaient des caractéristiques physiques marquées : cheveux tirant sur le roux, yeux marron clair comme ceux de leurs amis ailés. Selon ces critères, le messager appartenait à leur communauté. Mais tous, Simon le premier, savaient que ce n'était pas vrai.

— Qu'on le ligote ! Ingvald, je crois que nous avons notre prisonnier !

Il approcha du cheval de l'intrus. La bête avait les yeux fous ; de l'écume perlait à sa bouche. Elle n'essaya pas de s'échapper quand Simon tendit la main vers le bâton fourchu.

Le faucon ne bronchait toujours pas. Quand il le prit entre ses doigts, Simon sentit que ce n'était pas une créature vivante.

Il se tourna vers son lieutenant :

— Ingvald, envoie Lathor et Karn à la forteresse. Il faut savoir jusqu'où le mal a gagné. Si tout va bien, qu'ils préviennent le Seigneur des Ailes.

— Pouvons-nous lui montrer l'oiseau comme preuve ? demanda Karn.

— Non. L'oiseau et le prisonnier restent ici. Si l'Aire est inviolée, inutile d'introduire le poison. Il faut trouver un endroit sûr pour le prisonnier.

— La grotte, près de la chute d'eau, proposa Waldis, un garçon du village d'Ingvald. Elle est facile à garder...

— Parfait. Occupe-t'en, Ingvald.

— Et toi, capitaine ?

— Je vais remonter la piste de notre visiteur... S'il arrivait de l'Aire, autant le savoir au plus vite.

— Je ne crois pas qu'il en venait, capitaine... Ou alors, il aura suivi un chemin bien tortueux. Il est entré dans le camp par la route de la côte. Waldis, va chercher Caluf, qui l'a vu le premier.

Simon sella son cheval et ajouta deux sacoches de vivres. Il posa l'oiseau dessus. Il finissait quand Caluf arriva.

— Tu es sûr qu'il venait de l'ouest ? demanda immédiatement Simon.

— Je le jurerais sur la Pierre d'Engis, capitaine. Je l'ai vu venir de loin. Il passait entre les rochers comme quelqu'un qui connaît bien la piste.

La nouvelle déplut à Simon. La crique récemment découverte à l'ouest offrait la possibilité de communiquer plus vite avec Estcarp. Il espérait que des bateaux y accostent, débarquant des armes pour les combattants et embarquant des réfugiés. Si l'endroit était entre les mains de l'ennemi, il fallait le savoir au plus vite.

Tregarth quitta le camp avec Caluf et un autre soldat.

Tandis qu'une partie de son esprit se concentrait sur la tâche présente, une autre s'immergea dans des préoccupations plus personnelles.

Une seule fois, en prison, après son jugement, Tregarth avait eu du temps pour l'introspection. A dire vrai, il n'avait pas découvert beaucoup d'émotions sous la rude écorce de sa conscience. La camaraderie le touchait, mais il n'avait pas de véritable ami. Pour le reste...

Il connaissait la peur, comme tous les soldats. C'était un sentiment transitoire, vite chassé par la nécessité d'agir, ou de fuir. A Kars, les incantations de la sorcière avaient réveillé la bête en lui. Mais il l'avait vaincue.

Ne restait que le vide.

En passant la porte ouverte par Petronius, il avait cru pouvoir redevenir un homme complet. Ingvald parlait de possession : qu'aurait-il pensé d'un homme qui ne se *possédait* pas lui-même ?

Depuis toujours, il regardait les autres vivre et se tenait à l'écart. Un étranger : ses soldats l'avaient vu du premier coup d'œil ! Etait-il un anachronisme de plus dans un monde qui n'en manquait pas ? Un anachronisme comme les communicateurs des faucons, les machines d'Estcarp et de Fort Sulcar, les forces aéroportées des Kolderiens...

Il se sentit sur le point de découvrir une chose essentielle pour lui *et* pour la cause qu'il défendait.

Le Simon qui doutait et pensait fut brusquement expulsé de son crâne par le capitaine de la garde d'Estcarp, guerrier et meneur d'hommes.

Il y avait quelque chose sur le bord de la route, pas loin devant. Simon éperonna sa monture.

Trois petites boules noir et blanc. Des faucons, le cou brisé, rubans et communicateurs toujours attachés aux pattes. Trois cadavres disposés en triangle à la lisière d'un sous-bois...

— Pourquoi ? s'écria Caluf.

— Un avertissement... Ou une invitation ! (Il mit pied à terre et tendit les rênes de son cheval à Caluf.) Attendez-moi. Si je ne suis pas revenu dans une heure, retournez au camp. Ne partez pas à ma recherche. Nous ne pouvons pas nous permettre de gaspiller des vies...

Les deux hommes protestèrent ; Simon leur intima le silence. Il pénétra dans le sous-bois. Des empreintes de bottes lui apprirent qu'il n'était pas le premier.

Il approchait de la côte. La piste le menait à la crique. Quand il entendit le roulement des vagues, il se laissa tomber sur le sol et continua en rampant.

Ecartant les broussailles, il jeta un coup d'œil sur la crique, en contrebas.

Il s'attendait à tout et fut quand même surpris. Au début, il pensa à une illusion extirpée de son esprit par quelque rusée sorcière d'Estcarp. Après un bref examen, il rejeta cette idée. C'était bien un sous-marin, mais pas de son époque, même si les similitudes restaient nombreuses.

Le bâtiment était profilé comme une torpille. Il y avait une écoutille sur son pont parfaitement plat ; trois hommes en émergèrent. Ils portaient des casques de Fauconniers. Simon aurait parié qu'ils n'appartenaient pas plus à ce peuple que lui.

Une fois de plus, il se trouvait confronté au mystère consubstantiel de ce monde. Les bateaux aperçus à Fort Sulcar étaient des voiliers ; celui-ci aurait pu sortir du futur de *son* monde. Comment deux niveaux de civilisation si différents pouvaient-ils coexister ? Les Kolderiens, toujours ?

Etranger... D'un autre monde...

Une nouvelle fois, il se sentit à un cheveu de comprendre, de deviner.

Son attention se relâcha pendant une fraction de seconde.

C'était encore trop. L'épaisseur de son casque lui sauva la vie quand quelque chose percuta son crâne avec une violence inouïe. Les narines agressées par une odeur de plumes humides, il tenta de se lever. On le frappa encore.

Cette fois il distingua nettement un faucon.

Un vrai, ou une imitation ?

Sur cette interrogation, il sombra dans l'inconscience.

CHAPITRE II

LE TRIBUT À GORM

La douleur battait si fort dans son crâne qu'elle se diffusait dans tout son corps. Revenant à lui, Simon mobilisa ses forces pour résister à la souffrance. Peu à peu, il comprit que le battement ne venait pas de l'intérieur de sa tête, mais de dehors. Sous lui, le sol vibrait à un rythme régulier. Il devait être piégé dans le cœur obscur d'un tam-tam.

Il ouvrit les yeux : pas de lumière. Essayant de bouger, il découvrit que ses poignets et ses chevilles étaient attachés.

La sensation d'être enfermé dans un cercueil devint si forte qu'il dut se mordre les lèvres pour ne pas crier. Trop occupé à vaincre son angoisse, il lui fallut un long moment pour s'apercevoir qu'il n'était pas seul.

Sur sa droite montaient des gémissements intermittents. De l'autre côté, quelqu'un toussait. Rassuré par ces sons, aussi peu encourageants fussent-ils, Tregarth appela :

— Qui est là ? Quelqu'un sait-il où nous sommes ?

Les gémissements se turent. La toux persista, rauque, comme si elle arrachait les poumons du malheureux.

— Qui es-tu ? demanda une voix, à droite de Simon.

— Je viens des montagnes. Et toi ? Est-ce une prison de Karsten ?

— Il vaudrait mieux, montagnard. J'ai été dans un donjon du duché. On m'a passé à la question. Etre ici est dix fois pis.

Simon se souvint de ses dernières secondes de lucidité, sur la falaise. Le sous-marin, puis l'oiseau qui l'avait attaqué — et qui n'aurait jamais dû être un oiseau. Additionnant deux et deux, il comprit qu'il se trouvait *dans* le bâtiment qu'il espionnait.

— Nous sommes entre les mains des acheteurs d'hommes de Gorm ?

— Oui, montagnard. Tu n'étais pas avec nous quand les sbires de Yvian nous ont livrés aux Kolderiens. Es-tu un des Fauconniers enlevés plus tard ?

— Des Fauconniers ? Holà, serviteur du Seigneur des Ailes ! Répondez-moi, combien êtes-vous ? Je me bats aux côtés des Anciens.

— Nous sommes trois, soldat ! Faltjar était grave-ment blessé ; j'ignore s'il vit encore.

— Faltjar ! Le gardien de la passe sud ? Comment a-t-il été capturé ? Et vous ?

— En surveillant la crique. Des faucons nous ont attaqués. Pas *nos* faucons ! Je me suis réveillé sur la plage, sans mes armes et ma cotte de mailles. On nous a amenés dans ce bateau. Soldat, j'ai vogué cinq ans avec les marins de Fort Sulcar : jamais je n'ai vu un navire pareil !

— Il est né de la magie de Kolder, murmura le voisin de droite de Simon. J'étais en prison pour avoir caché une Ancienne et son bébé après les trois coups de corne. Tous les hommes ont été déportés sur une île... On nous a examinés...

— Qui ? demanda Simon.

— Je ne me souviens plus. Les hommes de Gorm

ont d'étranges pouvoirs. Ils peuvent vider un cerveau d'une partie de ses souvenirs... Certains disent que ce sont des démons venus des grands froids du bout du monde... Mais je n'y crois pas !

— Et toi, Fauconnier, as-tu vu ceux qui t'ont enlevé ?

— Oui, mais ça ne t'aidera pas beaucoup, soldat. C'étaient des hommes de Karsten, tout simplement. Des esclaves. J'ai aperçu trois de leurs maîtres. Hélas, ils portaient déjà nos armures et nos casques. Sans doute pour tromper tes compagnons...

— Un de ces trois-là est notre prisonnier. On finira par le faire parler...

Pour la première fois, Simon se demanda si leur conversation n'était pas écoutée. Si oui, cette information déplairait à leurs ravisseurs. Il était le dernier à s'en plaindre !

Il y avait dix hommes de Karsten attachés là, tous tirés de prison, où ils croupissaient pour avoir manqué de respect au duc. Avec les trois Fauconniers et lui, cela faisait quatorze têtes. Une bonne cargaison !

Tregarth continua à questionner ses compagnons d'infortune. Peu à peu, leur portrait robot se dessina dans son esprit.

Tous étaient des hommes de caractère ayant une solide expérience militaire. La moyenne d'âge tournait autour de trente ans. Malgré les mauvais traitements, tous étaient en parfaite forme physique. Deux appartenaient à la petite noblesse et manifestaient une certaine éducation. Ils étaient les plus jeunes du lot ; deux frères emprisonnés pour avoir aidé un Ancien.

Il n'y avait aucun représentant d'Estcarp ou des Anciens dans le groupe. Tous les hommes de Karsten s'accordèrent à dire que la tuerie avait été atroce, dépassant tout ce qu'ils auraient pu imaginer.

Le plus jeune des deux nobles ajouta une information des plus intéressantes.

— Mon frère et moi voulions sauver Renston, notre frère de lait ! Les gardes nous ont pris à la sortie de la ville... Ils pensaient nous vendre tous les trois aux acheteurs d'hommes, mais leur chef a dit qu'ils refuseraient Renston parce que c'était un Ancien... Un soldat a fait remarquer qu'il était aussi fort et solide que nous. Le chef s'est fâché, criant que les Anciens se briseraient mais ne plieraient pas. Puis il a égorgé Renston...

— Se briseraient mais ne plieraient pas ? répéta Simon.

— Les Anciens sont du même sang que les sorcières d'Estcarp, continua le noble. Les démons de Gorm ne peuvent peut-être pas les dévorer aussi facilement que les autres...

— Alors, pourquoi Yvian a-t-il fait sonner la corne pour eux ? dit l'homme étendu à la droite de Simon. Les Anciens ne faisaient pas de mal. Ils avaient d'étranges connaissances et de curieuses coutumes, c'est tout. Yvian doit être possédé ! Compagnons d'infortune, est-il possible que la présence des Anciens nous ait protégés de Gorm ? Est-ce la raison pour laquelle on les a massacrés ?

L'analyse était pertinente ; Simon y souscrivait pour l'essentiel. Il aurait volontiers posé d'autres questions, mais un sifflement se fit entendre, couvrant leurs voix. L'ancien colonel comprit en une fraction de seconde : on gazait le compartiment !

Les prisonniers toussèrent, s'étranglèrent, luttèrent pour respirer. Une seule pensée empêcha Simon de céder à la panique : l'ennemi ne se serait pas donné la peine d'embarquer quatorze hommes sur un navire pour les gazer *à mort*. Se souvenant de certaines séances, sur la chaise du dentiste, Tregarth respira lentement et fit le vide dans son esprit...

Un flot de paroles inintelligibles le tira de son inconscience. Quelqu'un aboyait des ordres dans une langue qu'il ne comprenait pas. Simon ne bougea pas. Sa lucidité revenant, il comprit que c'était le bon choix.

Un autre flot de paroles, plus impératives encore. La douleur, dans le crâne de Simon, n'était plus qu'un arrière-plan lancinant. Il était sûr de ne plus être dans le sous-marin. Les vibrations avaient cessé ; il était couché sur une surface stable. Stable mais glaciale. Il réalisa qu'il était nu.

La créature qui parlait devait s'éloigner, car son baragouin diminuait de volume. Le ton de commandement était si coupant que Simon préféra ne pas signaler son réveil à un éventuel subordonné.

Il compta lentement jusqu'à cent, puis recommença. N'entendant aucun bruit, il se risqua à ouvrir les yeux. La lumière crue blessa ses cornées. Répétant l'opération avec plus de prudence, il obtint une image interprétable de son nouvel environnement.

Des tubes, des cornues, des éprouvettes rangées sur des étagères. Il était dans un laboratoire.

Seul ? Et dans quel but ?

Il tourna la tête. De toute évidence, il n'était pas couché au niveau du sol. Une table d'opération ?

Il osa bouger un peu plus, et découvrit cinq autres hommes, nus comme lui, allongés sur une rangée de tables. Tous étaient inconscients.

Ce n'était pas tout. Une grande silhouette, le dos tourné à Simon, se penchait sur le premier prisonnier de la rangée. L'être portait une robe à capuche. Impossible de se faire une idée de son apparence.

Il manipulait une machine complexe, enfonçant des aiguilles dans les bras de sa victime. Terrorisé, Tregarth comprit qu'il assistait à l'exécution d'un homme... Enfin, pas l'exécution de son corps, ni de son esprit, mais celle de son *âme*.

Je suis dans une usine à fabriquer les zombis...

Pas question qu'il se laisse faire ! Sa chance était d'être le dernier de la rangée. Il allait utiliser ce répit à bon escient.

Il s'assit. Le laborantin, absorbé, ne remarqua rien.

La tête de Simon tournait comme une toupie. Il attendit quelques instants, puis posa un pied hésitant sur le sol froid.

Il se dirigea vers l'étagère, seul endroit où il trouverait une arme. L'idée de s'enfuir traversa à peine son esprit. Il ne pouvait pas abandonner cinq hommes à un sort pire que la mort.

Il s'empara d'une grosse cornue et se glissa derrière le laborantin.

Il abattit sa matraque improvisée ; l'autre s'écroula. Se penchant, Simon découvrit qu'il avait le crâne fracassé.

Il retourna le mort. La réalité était plus anodine que ce qu'il avait imaginé. Le laborantin avait un visage un peu plus plat que la normale. A part ça, il ressemblait à des dizaines de quidams croisés çà et là. Rien d'un démon !

Il soulagea le cadavre de sa robe. Dessous, il portait une sorte de combinaison sans fermeture Eclair ni boutons. S'impatientant, Tregarth décida que la robe suffirait. Il avisa un robinet, et alla passer sous l'eau la capuche poisseuse de sang.

Il n'y avait plus rien à faire pour les deux derniers hommes de la rangée. Il essaya de réveiller les autres. En vain. Ils étaient drogués. Il se demanda comment il avait fait pour revenir à lui si vite, en supposant, bien sûr, que ces malheureux *soient* les prisonniers du bateau...

Il poussa une porte et se retrouva dans un couloir désert. Avançant à pas de loup, il entrebâilla une autre porte. Dans cette salle, une vingtaine d'hommes étaient étendus sur des brancards roulants. Il ne parvint pas davantage à les réveiller.

Une réserve. Un garde-manger d'âmes...

Cette sombre pensée lui donna une idée. Espérant leur offrir un répit, il transporta ses trois compagnons avec les autres.

Dans la pièce suivante, Tregarth trouva une collection d'instruments médicaux. Il s'empara du plus long bistouri et le glissa dans la ceinture de sa robe.

Avec une grimace de dégoût, car il restait encore des morceaux de cervelle collés au tissu, il rabattit la capuche sur sa tête.

Il longea le couloir, guettant le moindre bruit, et aboutit dans un cul-de-sac où deux portes sur trois refusèrent de s'ouvrir. Il poussa la troisième ; elle donnait sur une chambre à deux lits.

Les meubles étaient tristes, fonctionnels, mais les lits semblaient confortables. Dans une alcôve, il remarqua un bureau aux lignes carrées.

Ce lieu ne pouvait pas être né du même monde qu'Estcarp, Fort Sulcar ou l'Aire des Fauconniers. Ces citadelles appartenaient au passé ; ce laboratoire était un produit de l'avenir.

Simon sursauta. Jaillie de nulle part, une voix venait de lui poser une question dans une langue qu'il ne comprenait pas.

L'urgence du ton laissait peu de doute : on attendait une réponse immédiate !

CHAPITRE III

LA SALLE DE CONTRÔLE

Etait-il observé ? Ou écoutait-il un système de communication interne ? Une fois assuré qu'il était seul dans la pièce, Simon s'efforça d'interpréter le discours du haut-parleur invisible. Il crut reconnaître plusieurs fois les mêmes sons : on répétait le message.

En l'absence de réponse, dans combien de temps allait-on déclencher l'alarme ? C'était peut-être déjà fait. Le message ordonnait probablement à quelqu'un (le défunt laborantin ?) de se rendre quelque part.

Mais où ?

Simon ressortit dans le couloir. Il se campa devant le mur, pensif. Son nouveau monde était prodigue en illusions. Le mur existait-il vraiment ? Il tendit la main... et toucha une surface dure et rugueuse. S'il y avait une ouverture, ce n'était pas un charme qui la défendait. Les Kolderiens ne fonctionnaient pas comme les sorcières d'Estcarp. Chez eux, point de « Pouvoir » alimenté par l'âme, ou quoi que ce fût d'approchant. Des compétences, du concret, voilà ce qui faisait leur force.

Pour les gens d'Estcarp, la plupart des réalisations techniques de son monde d'origine auraient été de la magie. De tous les gardes, Simon était le seul apte à comprendre en partie ce qu'il voyait à Gorm — si c'était bien Gorm ! Un ancien commando, habitué à lutter contre des chars et des avions, était mieux préparé qu'une sorcière qui créait une flotte avec une série de planchettes.

Il sonda les murs, à la recherche d'un mécanisme encastré, d'une embrasure camouflée. Il n'y avait rien.

La voix retentit encore, plus impatiente. Sentant le danger, Simon se figea. Il redoutait qu'une trappe ne s'ouvre sous ses pieds, ou qu'un filet ne tombe du plafond.

Alors il découvrit la sortie, mais pas comme il avait espéré. Au bout du couloir, une partie du mur venait de coulisser. Derrière se trouvait un espace éclairé. Simon tira son arme et se prépara à vendre chèrement sa peau.

Le silence fut à nouveau déchiré par les aboiements de la voix désincarnée. Simon en déduisit que le maître des lieux ne se doutait toujours pas de sa véritable identité. Même s'il y avait des caméras, la robe et la capuche pouvaient entretenir l'illusion. Continuer à se comporter bizarrement n'était pas judicieux...

Résolu à jouer son rôle au mieux, Simon oublia sa prudence de commando et approcha de la porte coulissante avec la nonchalance d'un employé paresseux. Il prit peur quand, la porte refermée, il se vit enfermé dans un réduit. Une secousse le fit vaciller ; le réduit bougeait.

Un ascenseur !

Simon ne put s'empêcher de sourire. *Un ascenseur !* Son intuition se précisait : la civilisation des Kolderiens ressemblait beaucoup à celle qu'il avait quittée. Pour un vieux baroudeur comme lui, être dans un ascenseur portait beaucoup moins sur les nerfs que voir un compagnon d'armes se transformer en Quasimodo dans une pièce emplie de fumée rouge.

Ce sentiment de *déjà vu*, de familiarité, n'apaisait pas une angoisse plus profonde. Les objets produits par Kolder ressemblaient à ceux de son monde. Mais l'*atmosphère* de cet endroit était inconnue, étrangère...

Pas seulement. Ce qui est inconnu, ou étranger, ne représente pas toujours une menace. Ici, tout s'opposait à lui et à ceux de sa race. Le mot exact était *inhumain*. Il ne s'appliquait pas aux sorcières d'Estcarp, aussi *atypiques* fussent-elles....

L'ascenseur s'immobilisa. La porte s'ouvrit.

Il y avait du bruit dehors. Il sortit, découvrant une alcôve, puis la pièce qui s'ouvrait derrière. Une nouvelle fois, le sentiment de *familiarité* prit le pas sur son inquiétude. Tout un panneau mural était occupé par une carte d'état-major. Au profil tourmenté des côtes, Simon reconnut son nouveau monde. Des points lumineux de différentes couleurs clignotaient un peu partout. Sur l'île de Gorm et à l'emplacement où se dressait jadis Fort Sulcar, les lumières étaient violettes. Celles des plaines d'Estcarp étaient jaunes. Simon repéra encore du vert pour Karsten et du rouge pour Alizon.

Il y avait une table devant la carte. Des machines énigmatiques ronflaient, des voyants clignotaient. Assis devant le panneau de commande, montrant leur dos à Tregarth, deux personnages en robe grise observaient ce ballet lumineux.

Un peu à l'écart, trois Kolderiens étaient assis à un bureau. Celui du centre portait un casque hérissé d'un réseau de fils connecté à un clavier posé devant lui. L'être avait les yeux fermés. Son visage était figé comme du marbre. Mais il ne dormait pas : de temps en temps, ses doigts pianotaient sur le clavier.

Un centre de contrôle... Des techniciens concentrés sur une tâche délicate...

Cette fois, les mots qu'on lui cria ne venaient pas d'un haut-parleur, mais de l'homme assis à gauche du porteur de casque. Le Kolderien le dévisagea, d'abord agacé qu'il ne réponde pas.

Puis il comprit qu'il n'avait pas affaire à un des siens !

Simon bondit. Il ne pouvait pas atteindre le bureau, mais un des techniciens était à sa portée. Il abattit un poing sur la nuque de l'homme, l'assommant pour le compte. Prenant le corps inerte sous les épaules, il recula vers une porte aperçue en passant.

L'homme qui l'avait repéré n'esquissa pas un mouvement. Passant à la langue locale, il déclara :

— Retournez à votre unité de contrôle. Retournez à votre unité de contrôle.

Simon continua sa progression de crabe. Le voisin du technicien assommé tourna la tête. Il semblait surpris. A l'évidence, les Kolderiens s'étaient attendus à une obéissance instantanée.

— Retournez à votre unité de contrôle ! Sur-le-champ !

Simon éclata de rire. Le résultat fut stupéfiant. Tous les Kolderiens, sauf le porteur de casque, se levèrent d'un bond. Tregarth comprit : s'il avait hurlé de douleur, les Kolderiens n'auraient pas bougé le petit doigt. Mais il avait *ri* ! Cette réaction les déboussolait.

L'homme qui lui avait ordonné de retourner à son unité de contrôle tapota sur l'épaule de son compagnon casqué, qui ouvrit les yeux, tourna la tête, et dévisagea Simon.

Ce qui suivit ne fut pas une attaque physique, mais une décharge d'énergie pure émanant de l'homme au casque.

Simon fut inexorablement poussé contre le mur, le souffle coupé.

Le corps qui lui servait de bouclier glissa de ses bras soudain lourds comme du plomb. Respirer devint difficile. S'il restait livré à la pression de cette main invisible, la mort ne tarderait pas. Fréquenter les sorcières d'Estcarp lui avait aiguisé l'imagination. Ce qui le piégeait n'était pas une force du corps, mais de l'esprit. Il ne pourrait la combattre que par l'esprit...

La sorcière prétendait qu'il avait le Pouvoir. Il la croyait volontiers. Quant à s'en servir, c'était une autre affaire ! Se concentrant de son mieux, il essaya de lever un bras.

Ce fut lent et pénible. Un instant, il se crut perdu. Mais il réussit !

Et maintenant ! s'interrogea-t-il, presque railleur.

Son action suivante ne dut rien à la réflexion. Et ce ne pouvait pas être *sa* volonté qui commandait à sa main de dessiner un étrange symbole dans l'air...

C'était la troisième fois qu'il voyait ce signe. Les deux premières, une main d'Estcarp l'avait dessiné, et il s'était embrasé.

Là, il diffusa une aveuglante lumière blanche. Simon sentit qu'il était libre. La main invisible ne lui écrasait plus la poitrine.

Il bondit sur la porte, l'ouvrit et partit au pas de course, savourant sa liberté retrouvée.

Sa joie fut de courte durée. Il tomba sur deux hommes armés. Des soldats du duc, transformés en esclaves des Kolderiens.

Il allait devoir les tuer... ou périr.

Il bondit sur la droite, fauchant les jambes du zombi le plus proche. Le bistouri s'enfonça dans la poitrine où ne battait plus qu'un cœur sans âme.

Récupérant au vol le pistolet de sa victime, Simon tira, transperçant la gorge de son dernier adversaire.

Lesté d'une épée et de deux pistolets, il reprit sa

course. Par chance, ce couloir ne finissait pas sur un ascenseur, mais sur un escalier de pierre.

Ses pieds nus sentirent immédiatement la différence de surface. Après avoir grimpé un étage, Tregarth enfila un couloir comme il en avait souvent emprunté dans la forteresse d'Estcarp. Le cœur du bâtiment était une élaboration futuriste ; le reste ressemblait à Fort Sulcar ou à l'Aire des Fauconniers.

Simon se mit à couvert deux fois, pistolet braqué, pour éviter des patrouilles d'hommes de Karsten. Il ne put déterminer si l'alarme avait été donnée. Les soldats marchaient au pas sans avoir l'air de chercher quelqu'un. Mais pouvait-on jamais savoir, avec ces *possédés* ?

Dans ces couloirs où la lumière ne changeait jamais, le temps perdait toute réalité. Simon ignorait si c'était le jour ou la nuit. Il n'aurait su dire depuis quand il était dans la forteresse. Mais il avait conscience d'être affamé, de crever de froid sous sa robe trop fine, et d'avoir les pieds en sang.

Sans la moindre idée du plan de la citadelle, il pouvait errer dans ses couloirs jusqu'à l'épuisement. Se trouvait-il sur l'île de Gorm, ou dans la cité nommée Yle bâtie sur la côte par les Kolderiens ?

Ni l'un ni l'autre, peut-être ? Les envahisseurs pouvaient avoir mille autres repaires.

L'envie de manger et de se reposer l'incita à explorer les salles de cet étage. Il n'y vit pas trace des meubles aux lignes épurées des Kolderiens. Les chaises, les tables, les coffres étaient d'*époque*. Dans certaines chambres, il reconnut les indices de départs précipités : dessus-de-lit froissés, robes de chambre roulées en boule... Tout était couvert de poussière : l'évacuation ne datait pas d'hier.

Dans une chambre, jetés sur un fauteuil, Simon

trouva des habits et des bottes à sa taille. Hélas, il ne dénicha pas de cotte de mailles, ni d'armes.

Son estomac le torturait. S'il ne trouvait pas de nourriture, il lui faudrait redescendre en chercher.

Pour l'heure, il choisit de continuer à monter. Dans le nouvel escalier, il aperçut la lumière du jour.

Interloqué, il accéléra. Quelques volées de marches plus haut, il s'aperçut que le jour filtrait de sous une porte. Elle n'était pas verrouillée. Il la poussa et déboucha sur une esplanade. Il comprit que c'était le toit du bâtiment, d'une hauteur impressionnante.

Après ce qu'il avait vu en bas, Simon ne fut pas surpris de ce qu'il découvrit sous une sorte de hangar. Les appareils étaient rustiques, peu spacieux, mais d'une construction solide. Des avions de ce type devaient pouvoir transporter deux passagers en plus du pilote. L'énigme de la chute de Fort Sulcar était résolue.

Tregarth disposait d'un moyen de fuir. Piloter un de ces engins ne l'enchantait pas ; en l'absence d'autres choix, cela vaudrait mieux que rien.

Mais fuir d'*où* ?

Après s'être assuré qu'il n'y avait pas de sentinelle, Simon s'éloigna du hangar pour aller observer le panorama.

Un instant, il se demanda s'il ne se trouvait pas sur les hauteurs de Fort Sulcar, reconstruit en un éclair par les formidables Kolderiens. Car il découvrit un port, avec ses entrepôts, ses quais et ses bateaux amarrés. Mais la ville ne ressemblait pas à celle des marchands. Elle était plus grande, avec des rues plus larges et des maisons plus hautes. A la position du soleil, il devait être midi. Et pourtant Simon ne voyait personne dans les rues. A y regarder de plus près, les maisons paraissaient désertes : pas de linge aux fenêtres, ni de fumée sortant des cheminées. Une ville fantôme ? Pas tout à fait : la nature ne l'avait pas envahie, et les bâtiments ne montraient aucun signe de délabrement.

L'architecture rappelait celle d'Estcarp et de Karsten, à quelques détails près. En toute logique, ce ne pouvait pas être Yle, construite par les Kolderiens. Il se trouvait donc sur l'île de Gorm, peut-être même à Sippar, la capitale.

Si la ville était aussi vide qu'il y semblait, la traverser pour se rendre au port et subtiliser une embarcation serait un jeu d'enfant. Le problème était de sortir de la forteresse. Pour ne pas retomber sur les Kolderiens, il n'y avait peut-être qu'un moyen...

Il revint au hangar. Piloter un engin qu'il ne connaissait pas serait du suicide, il le savait. Ça n'interdisait pas une inspection... Apparemment, le toit n'était pas souvent visité. Il devait avoir un peu de temps...

Il poussa un des petits avions hors du hangar. Ouvrant la trappe du museau, il étudia le moteur. Jamais il n'en avait vu de pareils. Les Kolderiens étant d'excellents techniciens, il décida de leur faire confiance.

Le hic, c'était le pilotage !

Avant de continuer, Simon retourna dans le hangar. Utilisant la crosse d'un de ses pistolets, il fracassa les moteurs des autres avions. S'il finissait par se lancer dans l'aventure, il ne tenait pas à être suivi.

L'ennemi frappa au moment où il levait son marteau improvisé pour la dernière fois. Personne n'avait passé la porte et il n'y avait pas âme qui vive sur le toit.

C'était encore la main invisible. Elle le poussait dehors.

Il tenta de s'ancrer à un avion. La force l'en empêcha.

Et elle ne le poussait pas vers la porte ! Avec un

frisson, Simon comprit que son destin n'était pas de retourner dans la salle de contrôle. Les Kolderiens en avaient assez de ses fantaisies. Ils allaient le forcer à se jeter du toit !

A leur place, il aurait sûrement pris la même décision...

Il lutta de toutes ses forces, essayant même de recourir au signe de feu.

Ça ne marcha pas, peut-être parce que son adversaire n'était pas directement en face de lui.

Résister lui ferait gagner quelques secondes, peut-être une minute ou deux. Il se demanda si ça valait la peine...

Le baroudeur reprit le dessus ! Il restait l'avion qu'il voulait utiliser en dernier recours. Eh bien, il y était, au dernier recours !

Et même un peu au-delà...

C'était une minuscule chance, mais il n'en avait pas d'autre. L'avion se dressait entre lui et le vide.

Il agrippa la poignée du cockpit. L'ouvrit. La main invisible poussa un peu plus fort.

En un ultime et splendide effort, Simon bondit dans l'étroite cabine de l'appareil.

L'avion craqua sinistrement. Simon se réceptionna et s'installa aux commandes, luttant toujours contre la force. Il scruta le tableau de bord. Il y avait une manette au milieu. C'était la seule pièce qui paraissait mobile. Recommandant son âme à d'autres puissances que le Pouvoir d'Estcarp, Simon leva une main qui pesait des tonnes et tira la manette...

CHAPITRE IV

LA CITÉ DES MORTS

L'appareil partit en flèche, collant Simon à son siège. Il y eut un grand craquement quand il franchit le parapet du toit, heureusement très bas.

L'avion bascula. Tregarth sentit qu'il tombait.

Son tourmenteur serait content...

Voire ! L'ancien colonel s'aperçut qu'il ne chutait pas comme une pierre. L'avion tentait de planer. A tout hasard, Simon poussa la manette vers le haut jusqu'à mi-chemin de sa course.

Ce fut sa dernière action. Il y eut un grand bruit, un choc terrible.

Tregarth plongea dans un tunnel où n'existait ni lumière, ni son, ni pensée...

Il reprit conscience sous le regard d'un gigantesque œil rouge. Une odeur nauséabonde monta à ses narines, lui serrant la gorge.

C'était donc cela, l'enfer ? L'œil cyclopéen du démon, et les effluves des âmes en décomposition ?

Simon réalisa qu'il était toujours assis. Une curieuse position, pour un damné... Ouvrant les yeux plus grands, il s'aperçut que l'œil du malin était un voyant du tableau de bord, démesurément grossi par son imagination. Quant à l'odeur, son origine restait à déterminer...

Soulagé, Simon leva les bras et poussa le cockpit. Les charnières grincèrent horriblement ; la cabine était à demi défoncée. Souple comme une anguille, l'ancien colonel parvint à se dégager.

Il s'était écrasé sur le toit d'une maison. Le museau de l'avion s'y était planté, éventrant la structure de tuiles. Avoir survécu tenait du miracle ; un de plus depuis l'arrivée de Tregarth dans son nouveau monde...

Le ciel s'obscurcissait. Simon avait dû rester un long moment inconscient. A mesure que son corps s'éveillait, il ressentait la torture d'une soif et d'une faim phénoménales.

Il lui fallait manger et boire !

Pourquoi l'ennemi ne l'avait-il pas détecté ? Son vol manqué n'avait pas pu passer inaperçu.

A moins que... Si les Kolderiens l'avaient repéré sur le toit grâce à un contact mental, ils pouvaient ignorer l'épisode de l'avion. S'ils avaient simplement senti qu'il tombait, ils le croyaient mort, puisqu'il avait perdu connaissance. Il ne les intéressait pas assez pour qu'ils recherchent son cadavre !

Si ses déductions étaient correctes, il n'avait plus aucun souci à se faire. Il était libre ! Coincé dans la ville de Sippar, certes, mais libre !

Il fallait avant tout trouver de quoi boire et manger. Ensuite, il essaierait de s'orienter.

Il sauta sur un balcon, passa par une fenêtre, et entra dans la maison. L'odeur de moisi se fit plus forte. Simon regarda autour de lui : la pièce était un salon, meublé au plus simple. Il tira la porte et sortit, se retrouvant sur un palier. Il s'engagea dans l'escalier.

Il passa devant d'autres portes mais se garda de les ouvrir. L'épouvantable odeur semblait en provenir...

Il arriva au rez-de-chaussée. L'odeur s'atténuant, il osa explorer les pièces. Dans la cuisine, il trouva un pot rempli de biscuits desséchés et un bocal de fruits à l'eau-de-vie. L'état de décomposition des vivres restants indiquait que plus personne n'était venu là depuis longtemps. Avisant un tuyau sortant du mur, Simon s'approcha. C'était bien ce qu'il pensait. Il pompa de l'eau et but avidement.

Les biscuits étaient durs comme du bois. Il les trempa dans la liqueur des fruits. Malgré sa faim, il eut du mal à manger à cause de l'odeur, omniprésente. Le puzzle se mettait en place dans son esprit. A part la citadelle et sa poignée d'habitants, Sippar était devenue une ville peuplée de cadavres. Les Kolderiens s'étaient débarrassés de ceux qui ne pouvaient pas leur servir : femmes, enfants, vieillards, malades... Ils les avaient tués dans leurs propres maisons, et ils les y laissaient pourrir ! Pour donner à réfléchir aux quelques survivants ? Même pas ! Juste pour ne pas s'encombrer d'un bétail inutile...

Simon sentit un frisson courir le long de son échine. Les Kolderiens étaient des monstres. Il n'existait pas mieux que le mot *inhumain* pour les définir.

Il emporta la moitié des biscuits et une bouteille d'eau. Bizarrement, la porte d'entrée était barricadée de l'intérieur. Manipulés par les Kolderiens, les habitants s'étaient-ils enfermés avant de se suicider ? Ou était-ce la main invisible qui les avait débusqués jusque dans leur chambre ?

La rue était déserte, comme il semblait depuis le toit de la citadelle. Simon n'en rasa pas moins les murs, attentif à ce qui pouvait surgir des porches et des ruelles sombres.

Rien ne se passa ; le port n'était plus très loin.

Simon marchait la tête basse, les épaules rentrées. Ces maisons truffées de cadavres le mettaient mal à l'aise. Il n'avait jamais aimé les cimetières. Il se demanda depuis combien de temps Sippar en était un. Le massacre avait-il eu lieu dès l'arrivée des Kolderiens, après l'appel à l'aide d'Orna ? Ou plus tard, à la suite de quelques mois ou années d'occupation ? Ça n'avait guère d'importance, sauf peut-être pour un historien. Sippar était la ville de la mort ; celle du corps dans les maisons, et celle de l'âme dans la citadelle. Seuls les Kolderiens — qui pouvaient être morts d'une autre façon encore — entretenaient une illusion de vie.

Vieux réflexe de commando, Simon mémorisa la disposition des rues et des maisons. Gorm ne pourrait pas être libérée avant la destruction de la citadelle, il en était certain. Mais les Kolderiens avaient tort de laisser la ville sans surveillance. Un débarquement pourrait...

Il se souvint de ce que Koris lui avait raconté sur les espions d'Estcarp, jamais revenus de mission. Une phrase du capitaine lui revint à l'esprit :

« *J'ai essayé d'y aller, mais un sort m'en empêche.* »

La « main invisible », songea Simon. Mais *lui* avait pu s'en libérer, d'abord dans la salle de contrôle, puis sur le toit. Un débarquement devait être possible !

Il atteignit le port. De loin, les bateaux paraissaient en bon état. Sur place, il déchanta vite. La plupart ne tiendraient pas dix minutes sur l'eau : coque vermoulue, voilure pourrie, mât à demi arraché...

Pas très engageant pour traverser la baie.

Par bonheur, il dégotta une barque intacte dans un entrepôt. N'étant pas plus marin qu'aviateur, il l'étudia de près avant de la tirer jusqu'à l'eau.

Il attendit d'être sorti du port pour lever les voiles de la frêle embarcation.

Alors il se heurta à la première ligne de défense des Kolderiens ! Il se prit la tête à deux mains, hurlant comme un possédé. Une douleur vrillait son cerveau ; un millier de vers le rongeaient de l'intérieur. Ses yeux semblaient vouloir jaillir de leurs orbites.

Après son expérience avec la main invisible, il s'était cru un expert en matière de tortures kolderiennes.

Il n'avait encore rien vu...

Comme Koris des années plus tôt, Tregarth perdit conscience. Prostré au fond de la barque, il ne vit ni n'entendit plus rien.

A l'instar du fier capitaine d'Estcarp, il survécut là où pas un homme sur un million n'aurait résisté...

Une patrouille trouva la barque échouée sur le rivage. Les soldats lui donnèrent à manger et lui fournirent un uniforme à sa taille. Dès qu'il fut à peu près remis, Simon partit pour la capitale d'Estcarp. Il chevaucha nuit et jour, prenant à peine le temps de manger quand il changeait de cheval.

A la citadelle, dans la salle de sa première rencontre avec la Gardienne, il raconta ses aventures aux officiers et aux sorcières. Parmi ces dernières, il chercha sa compagne dans le Pouvoir, mais ne la trouva pas.

Koris était là, écoutant sombrement sa description de la cité des morts.

Quand il eut fini, la Gardienne fit signe à une des sorcières d'avancer vers lui.

— Simon Tregarth, prends les mains de cette femme et pense aussi fort que tu le peux à l'homme casqué. Visualise son visage, ses vêtements, ses réactions...

Même s'il ne voyait pas l'intérêt de l'exercice, Simon obéit. On ne contrariait pas les sorcières d'Estcarp sans d'excellentes raisons !

Il saisit les mains froides et sèches de la sorcière et invoqua l'image mentale du Kolderien. Quand il eut revécu toute la scène, la sorcière le lâcha.

— As-tu vu, ma sœur ? Pourras-tu *reproduire* ?

— Ce que j'ai vu est reproductible, Gardienne. Il y a eu un duel de volonté entre le capitaine Simon et l'*autre*. Le *moule* est utilisable. (Elle regarda ses mains, faisant bouger chaque doigt comme pour les préparer à un travail délicat.) Mais j'ignore si nous pourrons nous *en* servir. Il aurait été préférable que le sang coule...

La Gardienne ne fit aucun effort pour expliquer cet énigmatique dialogue. Simon n'eut pas l'occasion de poser des questions ; la séance fut levée, et Koris l'appela. Les deux hommes se rendirent à la caserne. Une fois dans sa chambre, Simon interrogea le capitaine :

— Où est la dame ?

Il détestait ne pas pouvoir la nommer. Cette particularité des sorcières ne lui avait jamais plu ; elle l'irritait de plus en plus.

Koris comprit de qui il parlait.

— Elle inspecte les postes frontières.

— Mais... C'est dangereux !

— Aucun de nous n'est en sécurité, Simon... N'aie crainte, les détentrices du Pouvoir ne prennent jamais de risques inconsidérés. Elles sont bien trop précieuses...

Il baissa la voix :

— Ainsi, Gorm est morte...

Simon retira ses bottes et s'allongea. Il se sentait vidé.

— J'ai rapporté ce que j'ai vu, c'est tout. Il y a de la vie au cœur de la citadelle de Sippar. Je n'en ai trouvé nulle part ailleurs. Mais je n'ai pas vraiment cherché...

— De la vie ? Quelle sorte de vie ?

— Demande aux Kolderiens, ou aux sorcières... Ils

ne sont pas comme toi et moi. Peut-être considèrent-ils la vie différemment...

Dans un demi-brouillard, il s'aperçut que le capitaine approchait du lit.

— Tu es différent aussi, Simon. Puisque tu as vu Gorm, comment considères-tu sa vie — ou sa mort ?

— Comme un enfer..., marmonna Simon. Mais cela aussi sera payé quand viendra l'heure...

Se demandant pourquoi il avait dit ça, Tregarth s'endormit comme une masse...

Il s'éveilla, se goinfra, et se rendormit. Personne ne demanda à le voir et il ne se soucia pas de ce qui se passait dans la forteresse. Quand il s'éveilla de nouveau, il se sentit dispos et plein d'énergie, reposé comme il ne l'avait plus été depuis Berlin.

Berlin ? Où était cette ville ? A quoi ressemblait-elle ?

Il essaya de l'évoquer. Des images de forts et de citadelles s'y superposèrent.

Son cerveau évacuait les souvenirs de sa vie « antérieure ». Bientôt, il n'en resterait rien...

Il repensa à la sorcière, au signe de feu qu'elle avait dessiné pour lui, à son étonnement quand il l'avait *vue*. Il la revit, triste et lasse, après qu'elle eut souillé son don pour suborner Aldis.

La mémoire de sa nouvelle vie était vive et colorée. En lui, tout au fond, il sentait vibrer quelque chose qui était lui et qui, pourtant, ne lui appartenait pas.

Il faudrait, un jour, qu'il sache ce que c'était...

La vie l'arracha vite à l'introspection. Pendant son sommeil, Estcarp avait organisé ses forces. Des messagers arrivaient de toute part. Une demi-douzaine de vaisseaux sulcars avaient accosté dans les criques tenues par les Fauconniers. Une fois femmes et enfants débarqués, ils étaient prêts à partir au combat. Tous les alliés en convenaient : il fallait porter la guerre en Gorm avant que Gorm la porte sur le continent.

Tout était prêt pour un débarquement. Ne restait qu'à briser la barrière dont Simon ne connaissait que trop bien la puissance. Cela, seules les sorcières pouvaient le faire... Pour elles, on avait dressé une tente, sur la côte, juste en face des rives de Gorm.

Sans comprendre pourquoi, Simon y fut convoqué. Il dut s'asseoir autour d'une table qui ressemblait à un plateau de jeu. Mais il n'y avait pas de cases de couleurs différentes, pas de camp délimité.

Devant chaque « joueur » était peint un symbole.

L'assistance était composée de façon étrange, pour une réunion d'état-major...

Tregarth découvrit qu'il était placé à côté de la Gardienne. Le symbole, à cet endroit, englobait les deux places. Il représentait un faucon marron pris dans un cadre ovale. A la gauche de Simon, un poing serrant une hache était enchâssé dans un diamant bleu-gris. Plus loin, un carré rouge contenait un crapaud de mer.

Simon ne pouvait pas distinguer les deux derniers symboles, à la droite de la Gardienne. Pour cela, il aurait fallu qu'il se penche, un comportement bien inconvenant en présence de la docte femme. Deux sorcières vinrent s'asseoir dans les sièges correspondants.

Quelqu'un prit place à la gauche de Simon. Tournant la tête, il sentit une étrange chaleur l'envahir en *la* reconnaissant. Elle ne dit rien, et il fit de même. Le sixième participant était le jeune garçon, Briant, plus pâle encore qu'à l'habitude.

La sorcière dont Simon avait tenu les mains, la

veille, pendant qu'il pensait au Kolderien casqué, entra dans la tente avec deux de ses sœurs qui portaient un brasero fumant. Elles le posèrent au bout du plateau de jeu pendant que leur compagne se déchargeait de son propre fardeau : un grand panier contenant une série de figurines.

Elle sortit la première et s'approcha de Briant. Elle passa deux fois la statuette au-dessus du brasero, puis la tint devant les yeux du pâle jeune homme.

La figurine était réalisée avec un tel luxe de détails qu'on n'aurait pas été surpris de la voir bouger.

— Fulk..., dit la femme.

Elle posa la poupée devant Briant, sur l'image du crapaud de mer. L'infortuné jeune homme était trop blanc de complexion pour blêmir. Simon le vit avaler péniblement sa salive avant de répondre :

— Fulk de Verlaine...

La femme prit une autre figurine et alla à côté de *celle* que Simon enrageait de ne pas pouvoir nommer.

— Aldis.

— Aldis de Kars..., répondit sa compagne dans le Pouvoir.

La poupée fut déposée sur le poing serrant la hache.

— Sandar d'Alizon...

Une troisième statuette trouva sa place.

— Siric...

Une figurine au ventre protubérant...

La femme sortit la dernière poupée, l'étudia un moment, et la passa au-dessus du brasero. Elle vint jusqu'à Simon et à la Gardienne et tendit la main.

Tregarth détailla la reproduction de l'officier kolderien casqué.

— Gorm ! dit-il simplement, puisqu'il ne pouvait pas nommer l'homme.

La figurine vint couvrir le faucon marron.

CHAPITRE V

JEU DE POUVOIR

Cinq copies parfaites d'hommes et de femmes étaient posées sur le blason de leur pays.

Très bien, se dit Simon, *mais pourquoi ?*

Il tourna la tête sur sa droite. La sorcière serrait les minuscules jambes d'Aldis dans son poing. Briant faisait de même avec la statuette de Fulk. Tous deux fixaient leur petit personnage avec une intense concentration. Le jeune homme semblait de plus en plus mal à l'aise...

Simon regarda la poupée debout devant lui. Il repensa à de très vieilles histoires de son monde. Allaient-ils piquer des épingles dans les répliques en espérant que les originaux souffrent mille morts ?

La Gardienne prit la main de Simon. Elle plaça sa main libre autour des jambes du Kolderien miniature. Simon l'imita ; leurs poignets se touchèrent.

— Simon Tregarth, pense à celui que tu as affronté en esprit, et vaincu. Chasse toute autre image de ton cerveau. Il faut atteindre cet homme, et le forcer à *plier* comme plie le roseau. Il faut qu'il nous serve, Simon. Le Jeu de Pouvoir doit tourner à notre avantage dans l'heure. Sinon, il n'y aura pas d'invasion, pas de débarquement...

Les yeux de Simon se rivèrent sur la poupée. Aurait-il voulu les détourner qu'il ne l'aurait pas pu. Il comprit la raison de sa présence autour du plateau de jeu : lui seul avait vu l'officier kolderien !

Le petit visage, à demi caché par l'étrange casque, grossit peu à peu, atteignant sa taille réelle. L'officier s'absorbait dans sa mystérieuse tâche...

Simon sentit la haine accumulée contre les Kolderiens se condenser en une boule nichée au creux de sa poitrine. Ces monstres devaient être rayés de la surface du monde. Et que personne, jamais, n'oublie les crimes perpétrés sur l'île de Gorm !

Les contours de la tente se troublèrent, puis disparurent. Tregarth se retrouva dans la citadelle de Sippar, face au Kolderien. Le combat mental recommençait.

L'officier ouvrit les yeux, puis les écarquilla : il reconnaissait son ennemi, celui qu'il avait cru réduit en bouillie au terme d'une formidable chute.

Simon regarda les orbites du Kolderien : deux chaudrons de l'enfer où rougissait la braise de la destruction et du meurtre.

Deux regards s'affrontèrent. Simon oublia le visage sans relief de l'officier, le casque un peu ridicule qu'il portait sur la tête... Tout s'évanouit, morceau après morceau, à part les yeux qui cherchaient à lui extirper son âme.

A Kars, lors du changement de forme, Tregarth avait senti le flux de Pouvoir qui circulait entre la sorcière et lui. Ce qui bouillait en lui, aujourd'hui, était bien plus que sa haine *individuelle*, que sa colère d'*homme*, que son ressentiment de *victime*. Animé par le Pouvoir, il devenait une arme prête à tirer un projectile mortel.

La confiance du Kolderien s'effrita. Il essaya de fuir ce regard de feu, comme s'il venait de comprendre, trop tard, que sa mort se dressait devant lui.

Il ne pouvait plus fuir ; quelques minutes auparavant,

le choix était encore sien. Il aurait suffi de détourner le regard, de mettre une main devant ses yeux.

Maintenant, il fallait périr...

Simon sentit une incroyable décharge d'énergie traverser son corps. Se servant de lui comme passerelle, elle alla percuter le Kolderien. Les yeux de l'officier furent submergés par la panique, puis noyés de terreur.

Le Pouvoir s'empara du cerveau du bourreau de Gorm. Son regard se vida...

En face de lui, Simon n'avait plus qu'un zombi, prêt à exécuter ses volontés comme les légions de Gorm et de Karsten exécutaient celles de Kolder la Monstrueuse.

Il donna ses ordres. Le Pouvoir de la Gardienne nourrissait le sien. Elle attendait, prête à l'aider. Simon était sûr que l'officier suivrait à la lettre ses instructions. Les forces qui contrôlaient Gorm perdraient la barrière que seuls Koris et lui avaient vaincue à ce jour. Estcarp disposait d'un pantin à l'intérieur de la forteresse ennemie.

Simon releva la tête, ouvrit les yeux, et découvrit que la Gardienne et lui serraient toujours la figurine. La reproduction avait perdu sa perfection. Sous le casque de métal, le visage n'était plus qu'un magma de cire fondue.

Livide, la Gardienne ouvrit la main. Simon tourna la tête et vit sa compagne dans le Pouvoir, le visage ravagé, les yeux vides...

La poupée d'Aldis n'avait plus de visage...

Celle de Fulk était couchée sur le flanc. Briant se tenait le visage entre les mains. Simon crut le voir sangloter.

— C'est fait, déclara la Gardienne. Tout ce qui était du ressort du Pouvoir est accompli. Nous avons été dignes du sang qui coule dans nos veines. Aux épées et au feu, au vent et aux vagues de nous être favorables. Et puissent les hommes porter haut les couleurs d'Estcarp...

Comme s'il avait entendu, Koris pénétra sous la tente, vêtu de son armure de guerre, le casque accroché à la ceinture. Il leva la Hache de Volt.

— Sois sûre, ma dame, que les hommes sauront se servir de leurs armes. Partout on donne le signal : nos armées et nos vaisseaux se mettent en route...

Bien que la terre eût une fâcheuse tendance à tourner autour de lui, Simon se leva. *Celle* qui était assise à sa gauche se précipita, esquissant un geste pour le retenir. Dans ses yeux, il lut à quel point elle ne voulait pas le voir partir.

— Le Jeu du Pouvoir est terminé, lui dit-il comme s'ils étaient seuls, et les sorcières d'Estcarp ont gagné. Mais il y a une autre guerre en cours, *ma* guerre, compagne dans le Pouvoir. J'ai joué selon tes règles. Laisse-moi en terminer selon les miennes.

Pendant qu'il contournait la table pour aller rejoindre Koris, quelqu'un d'autre se leva, mal assuré sur ses jambes. Briant regardait toujours la poupée de Fulk. La peur se lisait sur ses traits : l'image du seigneur de Verlaine était couchée, mais intacte.

— Je n'ai jamais prétendu avoir le Pouvoir, murmura le jeune homme. Selon vos règles, sorcières, il est évident que j'ai échoué. Il en ira peut-être autrement avec l'épée.

Koris fit mine de protester. La compagne dans le Pouvoir de Simon s'interposa :

— Tous ceux qui marchent sous la bannière d'Estcarp sont dignes de choisir. Que personne ne prononce un mot contre leur libre arbitre !

La Gardienne approuva d'un hochement de tête.

Ils furent trois à sortir de la tente : Koris, son magnifique visage et son torse d'Apollon bien droits sur ses grotesques jambes ; Simon, miné par la fatigue, mais déterminé à vivre cette aventure jusqu'à sa fin ; Briant, marchant comme un automate, les yeux fixes, comme guidé par une volonté plus forte que la sienne.

Le capitaine se tourna vers ses deux compagnons :

— Vous m'accompagnez sur le vaisseau amiral. Simon, j'ai besoin d'un guide... Quant à toi, *Briant*...

Il se tut, hésitant. Le jeune homme pointa le menton, prêt à relever le défi. Simon sentit qu'un lien étrange s'était tissé entre ces deux-là. L'affaire ne regardait qu'eux, mais l'ancien colonel était curieux de savoir comment Koris allait réagir à cette insubordination silencieuse.

— Toi, *Briant*, tu resteras à l'abri des boucliers de mes hommes. Compris ?

Le jeune homme ne se démonta pas.

— Je resterai derrière toi, capitaine, tant que je jugerai logique de le faire. Dans cette bataille et dans celles qui viendront, je me battrai avec mon épée, et je me protégerai derrière *mon* bouclier !

Un instant, Simon crut que Koris ne laisserait pas passer l'insolence. Mais on les appela.

— Capitaine Koris, capitaine Simon, une barque est prête à vous conduire au vaisseau amiral.

Dans la petite embarcation, Simon nota que Briant prenait garde à se tenir loin de son supérieur.

Le vaisseau amiral était un bateau de pêche où s'entassaient les gardes d'Estcarp. Quand il leva l'ancre, les autres navires, tout aussi chargés, le suivirent docilement.

— Une fière armée, n'est-ce-pas, Simon ? demanda Koris. Des Fauconniers, des Anciens, des hommes d'Estcarp et de Sulcar, et même un... *étranger* !

Simon resta pensif. Il n'avait qu'une vague idée de l'endroit où il avait traversé la barrière. Peut-être conduisait-il ses troupes au désastre ? Son instinct lui disait que non. Mais comment être sûr ?

Il vint se placer à la proue du bateau. Devant eux se dressait le port de Sippar. La barrière était proche, s'ils ne l'avaient pas déjà passée...

— Nous entrons dans le port ! cria un homme quelques minutes plus tard.

Simon sourit à Koris.

— Ça y est ? demanda le petit homme.

— La dernière fois, la barrière était à l'extérieur du port. S'ils ne l'ont pas déplacée...

Koris posa son menton sur le manche de la Hache de Volt. Il fixait ce qui restait d'une cité jadis florissante.

— Le Pouvoir a rempli son rôle, souffla-t-il. A nous de jouer le nôtre !

— Ne sous-estime pas l'ennemi, capitaine. Nous avons vaincu leur première ligne de défense, la plus *faible*.

Simon regarda autour de lui, dubitatif. Des épées, des haches, des pistolets... Une science plus avancée que celle de son monde d'origine les attendait dans la forteresse. Toutes les surprises restaient possibles.

Alors que le bateau se faufilait entre les épaves, se frayant un chemin vers le quai, le silence de la cité fantôme tomba sur les hommes, et refroidit leur enthousiasme.

En bon chef, Koris le sentit. Il alla trouver le capitaine et lui ordonna d'accélérer le mouvement.

— Tu es tout-puissant sur terre, répondit l'homme, mais sur mer, c'est moi qui décide. Si nous heurtons une épave, c'est avec les poissons que tes hommes devront se battre !

Simon observait toujours les quais et la ville. Pas le

moindre mouvement. Pourtant, il s'attendait à un désastre : une attaque aérienne, un sous-marin, un tir de canon...

Enfin, quoi, les Kolderiens n'étaient pas des imbéciles !

Ils accostèrent sans incident. Les hommes de Sulcar touchèrent terre plus bas sur la côte, afin de couper la route à des renforts venant d'une autre partie de l'île. Simon en tête, le reste des troupes investit la ville. Toutes les maisons étaient fermées. Personne ne se montra.

— Pas un seul survivant, gronda Koris...

Ils n'étaient plus très loin de la citadelle quand l'ennemi réagit. Mais il n'y eut ni attaque aérienne ni tir de canon. Simplement une armée d'hommes à pied portant des épées et des haches...

Ces combattants avançaient sans bruit, indifférents aux camarades qui tombaient à côté d'eux. Certains portaient des uniformes de Karsten, d'autres arboraient le blason de Sulcar. Simon aperçut même quelques casques de Fauconniers.

Ces hommes étaient ce qu'on nommait de la chair à canon dans le monde de Tregarth. Pis : ils ne songeaient pas *eux-mêmes* à se protéger !

L'impact, entre les deux forces, fut terrifiant. Simon retrouva ses réflexes de *sniper*. Koris chargea avec la Hache de Volt, perçant de véritables trouées dans les rangs ennemis.

Les esclaves des Kolderiens n'étaient pas de grands guerriers ; il leur manquait aussi l'étincelle d'intelligence qui leur eût permis de tirer parti de leur supériorité numérique. Se regrouper, encercler l'ennemi, reculer pour mieux contre-attaquer étaient des tactiques bien au-delà de leur imagination. Ils avançaient, frappant tant qu'ils n'étaient pas vidés de leur sang...

Les soldats d'Estcarp luttaient comme des lions ; bientôt, même les plus endurcis furent écœurés par cette boucherie.

Rouge de sang, la Hache de Volt ne brillait plus. Koris la leva malgré tout, ordonnant à ses hommes d'avancer. Ils laissèrent derrière eux des rues jonchées de cadavres.

— C'était juste pour nous retarder, souffla Simon à Koris.

— Je le crois aussi. Quelle est la suite du programme, Simon ? La mort qui vient du ciel, comme à Fort Sulcar ?

Le petit homme scrutait les toits, les traits tendus.

Un idée traversa l'esprit de Simon.

— Je doute que nous puissions investir la forteresse par le rez-de-chaussée..., commença-t-il.

— Crois-tu ? coupa Koris. Je connais des passages dont les Kolderiens ne soupçonnent pas l'existence. Souviens-toi, c'était *ma* citadelle, jadis...

— Ecoute quand même mon plan. Il y a des cordes et des grappins, dans les bateaux. Pendant que tu chercheras tes passages, une partie des hommes grimpera sur le toit. Comme ça, nous prendrons les Kolderiens en tenailles.

— Bonne idée ! Simon, je te laisse les toits, puisque tu les connais. Choisis tes hommes. Pas plus de vingt.

Ils subirent deux autres attaques de zombis. Leurs pertes furent lourdes, mais ils ne laissèrent pas un adversaire debout. A l'abord de la citadelle, les forces d'Estcarp se séparèrent.

— Par là ! cria Tregarth, désignant un porche.

Il ne s'était pas trompé : la porte était ouverte. Le commando s'engouffra dans l'escalier. Quelques minutes plus tard, ils débouchèrent sur le toit, près de la carcasse de l'avion.

— Les grappins ! ordonna l'ancien colonel aux marins appelés en renfort.

L'ascension fut lente, pénible, terrible pour les mains des hommes, pelées par les cordes. Mais le succès les attendait au bout...

Les avions sabotés par Tregarth étaient toujours dans le hangar. Les outils éparpillés autour prouvaient qu'on avait essayé de les réparer. Rien ne laissait deviner pourquoi le travail avait été interrompu.

Simon posta quatre sentinelles sur le toit et entraîna le reste de ses hommes dans l'escalier. Ils passèrent des paliers, traversèrent des couloirs et des salles sans entendre un bruit ou croiser âme qui vive.

La citadelle semblait abandonnée...

Sans rencontrer d'obstacle, le commando parvint à la dernière volée de marches de pierre précédant la porte de la salle de contrôle.

Simon leva une main ; les hommes stoppèrent.

Leur chef tendit l'oreille : des profondeurs de la terre montait un son aussi sourd et régulier que les battements de son propre cœur.

CHAPITRE VI

LA LIBÉRATION DE GORM

— Capitaine, demanda Tunston, qu'est-ce qui nous attend en bas ?

— Je n'en sais pas plus que toi, répondit Simon, presque sans y penser.

Il réalisa que c'était la pure vérité : il ne sentait aucun danger présent ou à venir. Il devait bien y en avoir un. Ce bruit n'était pas normal...

Il passa le premier, arme au poing. Pour accéder à la salle de contrôle, ils durent défoncer quelques portes. Ce fut la seule résistance qu'ils rencontrèrent...

Dans la salle, la pulsation était presque assourdissante. Le sol et les murs tremblaient.

Simon regarda la carte. Plus de lumière. Sur la table, pas une machine ne restait. Quelques câbles oubliés et des fixations métalliques marquaient leurs anciens emplacements.

A ce que Simon avait appelé le « bureau », le Kolderien casqué occupait toujours son siège, les yeux fermés. On aurait pu croire qu'il n'avait pas bougé depuis la première irruption de Tregarth.

Au début, Simon pensa qu'il était mort. Il approcha, baissant presque sa garde. A première vue, c'était l'officier qu'il avait évoqué en esprit pour la femme

208

sculpteur sur cire d'Estcarp. Il fut plutôt satisfait des performances de sa mémoire.

Simon se figea. Ce n'était pas le moment de se déconcentrer. Malgré ses yeux clos et son immobilité, cet homme n'était pas mort. Sa main gauche reposait sur le clavier : un doigt avait bougé. Sans doute pour appuyer sur un bouton...

Tregarth bondit. L'officier ouvrit les yeux, le visage tordu par la colère — et peut-être la peur. Simon saisit à pleines mains le fil connecté au casque et fiché dans ce qui devait être une source d'alimentation. Il tira de toutes ses forces. Fou de rage, le Kolderien sortit une arme à canon court et la pointa sur son assaillant.

Tregarth frappa d'un revers du pistolet, brisant la mâchoire du Kolderien au visage plat.

L'officier leva encore le bras. Simon bondit, lui saisissant le poignet. Ils s'écroulèrent sur la chaise. Des étincelles sortaient du casque, crépitant comme la pluie sur les carreaux.

Tregarth noua ses mains autour de la gorge du Kolderien. Ce dernier allait mourir — et il le savait.

Mais il ne l'acceptait pas, luttant avec la dernière énergie.

Ses yeux s'écarquillèrent démesurément ; Simon eut la sensation d'être aspiré par ces globes rouges.

L'impression de chute cessa ; les yeux devinrent des fenêtres ouvertes sur un autre lieu — peut-être en un autre temps.

Dans une vallée, des hommes en robe grise fuyaient dans un véhicule inconnu de Simon. Ils tiraient sur des poursuivants invisibles.

Les restes d'un commando, défait et traqué à mort, devina Tregarth.

Ces hommes étaient désespérés, en proie à une fureur

comme il n'en avait jamais rencontré. Ils voulaient atteindre *La Porte* dans la vallée, coûte que coûte.

Alors, ils auraient le temps de reconstruire, de conquérir, de devenir ce qu'ils avaient la force et la volonté d'être. Un empire brisé et un monde ravagé gisaient derrière eux. La Porte donnait sur un univers nouveau.

Les fugitifs disparurent, et Simon revit le visage de l'officier, avec ses yeux rouges dilatés. La *vision* avait duré moins d'une seconde ! Le Kolderien luttait encore...

Simon serra plus fort. Un bruit écœurant sortit des lèvres de l'ennemi. Une onde télépathique agressa le cerveau de Simon : le désastre, l'échec, le regret de quitter la vie sans avoir triomphé.

Pour la dernière fois, un éclair de lucidité passa dans les yeux du mourant, comme s'il reconnaissait son exécuteur. Alors la communication fut totale : Simon apprit d'*où* venaient les Kolderiens, à défaut de savoir *qui* ils étaient.

Le lien télépathique se brisa. L'homme était mort.

Simon se dégagea de l'étreinte du cadavre.

Tunston se pencha et tenta d'ôter le casque de la tête du mort. Même Simon frissonna quand il devint évident qu'il ne s'agissait pas d'un casque, mais de la boîte crânienne du Kolderien.

Simon se releva.

— Laisse tomber, Tunston ! Mais que personne ne touche aux fils...

A cet instant, l'ancien colonel réalisa que le sol et les murs ne tremblaient plus. Le cœur de la citadelle ne battait plus. L'officier au crâne de métal, comprit-il, avait été le *cœur*...

Simon se rua vers l'ascenseur. La porte était ouverte.

Mais restait-il de l'énergie pour alimenter l'appareil ?

— Tunston, prends le commandement ! Vous deux, suivez-moi !

Aidé des deux gardes, Simon fit coulisser la porte.

La chance était avec les hommes d'Estcarp. La fermeture du panneau fit démarrer le monte-charge. Quand l'engin s'arrêta, Simon s'attendait à le voir s'ouvrir sur le laboratoire. Ce qu'il dévoila arracha un cri de surprise aux trois hommes.

Ils se trouvaient sur le quai d'un port intérieur. L'air sentait la mer... et quelque chose d'autre. Des corps étaient entassés un peu partout. Des hommes comme eux, pas des Kolderiens.

Tous étaient nus, ou vêtus de haillons. S'approchant, Simon constata qu'il n'y avait pas un survivant. Ces gens avaient été abattus comme des chiens.

— Capitaine, viens voir !

Un des gardes était penché sur un cadavre et le regardait avec des yeux ronds de surprise.

— Regarde ! Je n'ai jamais vu un homme de cette race. Vois ses cheveux, la couleur de sa peau : il n'est pas de nos régions !

Le mort avait la peau brune et les cheveux crépus. Les Kolderiens étaient allés chercher leurs esclaves dans de bien lointaines contrées.

Ce port intérieur servait à débarquer les cargaisons de chair humaine, c'était clair. En sus, il procurait un abri sûr à la flotte de sous-marins.

— Capitaine ! cria le deuxième garde, resté quelques mètres derrière Simon.

L'eau bouillonnait d'étrange manière. Les trois hommes reculèrent. Inutile d'être devin pour comprendre qu'un sous-marin allait faire surface.

— A terre ! ordonna Simon.

Ils n'avaient plus le temps de retourner à l'ascenseur.

Le seul espoir était de se cacher parmi les cadavres.

Les trois hommes se jetèrent au sol ; Simon sortit son arme.

Il se demanda si son souffle résonnait aussi fort que celui de ses compagnons. Ils étaient beaucoup plus habillés que les morts qui les entouraient. Les reflets de leurs cottes de mailles pouvaient attirer l'œil d'un Kolderien. Tregarth n'avait aucune envie de se faire tirer comme un lapin.

Pis qu'un lapin, qui pouvait au moins courir !

Après avoir fait surface, le navire ne bougea plus, se laissant ballotter par les vagues comme un gros poisson mort.

Simon ne comprenait plus grand-chose. L'homme allongé près de lui murmura et le tira par le bras.

Tregarth n'avait pas besoin de ça pour tourner la tête. Il avait entendu le bouillonnement, sur sa droite.

Un deuxième sous-marin !

Le premier se laissa pousser vers le quai par les vagues. Il était clair que personne ne le pilotait. N'osant pas y croire, les trois hommes ne bronchèrent pas. Mais quand un troisième submersible émergea, envoyant les deux précédents valser l'un contre l'autre, Simon accepta l'évidence et se releva. Ces navires étaient vides, ou gravement endommagés. Ils dérivaient.

Aucune écoutille apparente. Rien ne permettait de dire qu'ils transportaient un équipage et des passagers. La présence des cadavres, sur le quai, pouvait fournir un début d'explication. Les Kolderiens, pressés d'évacuer Gorm, avaient abattu leur *cheptel* avant de partir.

Pénétrer dans les sous-marins serait un risque insensé, du moins sans préparation. Mais laisser quelqu'un pour les surveiller semblait logique.

— Monterez-vous la garde ? demanda Simon aux deux hommes.

Les gardes d'Estcarp pouvaient endurer bien des choses ; seul un mauvais chef leur aurait *ordonné* de rester dans cette morgue géante.

— Il faut découvrir les secrets de ces bateaux, capitaine, répondit le plus vieux. Mais je ne crois pas qu'ils repartiront...

Simon admira la dérobade, et l'accepta.

— Très bien, on remonte. Laissons cet endroit aux morts... et aux épaves.

Ils s'engouffrèrent dans l'ascenseur. Simon chercha un tableau de commande. Il ne voulait pas retourner à la salle de contrôle, mais atteindre un étage où il pourrait retrouver le groupe de Koris.

— Bon sang, grommela-t-il, il doit bien y avoir un moyen d'aller où on veut !

Ils refermèrent la porte. Quand l'ascenseur se mit en mouvement, Simon pensa très fort au laboratoire.

L'engin s'arrêta. La porte coulissa. Les trois hommes se trouvèrent nez à nez avec une demi-douzaine de soldats, arme au poing. Quelques secondes de flottement épargnèrent une erreur fatale aux deux groupes.

Quelqu'un appela Simon et il aperçut Briant.

— D'où sortez-vous ? Du mur ? s'étonna Koris, écartant les autres.

Simon jeta un coup d'œil dehors. Le couloir du laboratoire : l'endroit où il désirait se rendre ! L'ascenseur l'avait conduit par hasard là où il voulait.

Par hasard ? Et si...

— Koris, vous avez trouvé le laboratoire ?

— Nous avons trouvé beaucoup de choses, Simon. La plupart n'ont pas de sens pour moi ! Mais pas trace des Kolderiens. Et vous ?

— Un seul ! Il est mort — ils sont peut-être tous

morts ! (Simon songea aux sous-marins ; à leur possible cargaison...) Je crois que nous ne risquons plus d'en rencontrer...

Les heures suivantes prouvèrent qu'il était bon prophète. Plus l'ombre d'un Kolderien ! Tous leurs esclaves avaient été abattus. Ils en trouvèrent partout dans la forteresse. Des hommes seuls, des petits groupes, des patrouilles. Tous gisaient comme ils étaient tombés, rendus au repos éternel dont leurs maîtres les avaient spoliés.

Ils découvrirent une poignée de prisonniers dans une salle du laboratoire. Certains étaient des compagnons de captivité de Simon. Ils s'éveillèrent de leur sommeil artificiel, incapables de se souvenir d'un seul événement postérieur au gazage de leur prison. Ils remercièrent le ciel d'être arrivés trop tardivement sur Gorm pour subir le sort des autres esclaves.

Koris et Simon conduisirent des marins sulcars dans le port intérieur. L'exploration de la grotte, dans une petite barque, ne permit pas de trouver la sortie.

— Logique, conclut Simon. Elle est sûrement sous l'eau. Les sous-marins ont dû la trouver close. C'est pour ça qu'ils sont revenus...

— Si l'officier au crâne de métal contrôlait tout, sa mort a semé la panique. Et puis, c'est celui que tu as combattu lors du Jeu de Pouvoir ; il avait peut-être donné des ordres contradictoires exprès... Du sabotage !

— Peut-être, répondit Simon, distrait.

Il pensait à ce que l'officier lui avait appris au moment de mourir. Si le reste des forces kolderiennes avait péri dans les sous-marins, Estcarp aurait de sacrées raisons de se réjouir.

Ils ramenèrent un submersible à quai. Comme le

système d'ouverture de l'écoutille résistait, ils laissèrent les marins de Sulcar s'en occuper.

— Encore un produit de leur magie, dit Koris quand ils furent dans l'ascenseur. Mais crâne de métal ne devait pas le contrôler, puisqu'il marche encore...

— Tu peux contrôler cet engin aussi bien que lui, souffla Simon.

Il s'adossa à la paroi, soudain las. Cette victoire ne le satisfaisait pas. Lui seul avait une idée de la traque qu'il faudrait entreprendre. Mais les sorcières et les hommes d'Estcarp croiraient-ils ce qu'il avait à dire ?

— Pense au couloir où tu veux aller, continua-t-il. Imagine-le dans ta tête.

— Comme ça ?

Koris ôta son casque et plissa les yeux, les poings serrés.

L'ascenseur démarra et s'arrêta à l'étage du laboratoire. Koris rit, excité comme un enfant devant un nouveau jouet.

— Une magie accessible à Koris le Nabot ! Chez les Kolderiens, le Pouvoir n'est pas réservé aux femmes, on dirait...

Simon pensa à la salle de contrôle. La porte se ferma et l'engin repartit.

— C'est peut-être ce qui nous reste à redouter le plus, Koris, dit-il quand ils furent à destination. Ils ont un « pouvoir » bien à eux, et nous les avons vus l'utiliser. Gorm est devenue une gigantesque salle du trésor.

Koris jeta son casque sur la table et regarda Simon.

— Une salle du trésor que tu nous déconseilles de piller ?

— Je n'en sais rien... Je ne suis pas un scientifique, Koris. Ce genre de magie me dépasse. Les marins de Sulcar seront tentés par les submersibles ; Estcarp par je ne sais quelles merveilles...

— Tentés ? répéta une voix.

Les deux hommes se retournèrent. Simon sursauta en *la* reconnaissant. Briant était avec elle, fidèle lieutenant.

Elle portait un casque et une cotte de mailles, mais Simon l'aurait reconnue même derrière une forme d'emprunt.

— Tentés ? répéta-t-elle. Pourquoi avoir choisi ce mot, Simon ? Tu dis vrai : le peuple d'Estcarp peut être *tenté*. C'est pourquoi je suis là. La connaissance est une arme à double tranchant ; si nous sommes imprudents, il pourrait nous en cuire. Devons-nous détruire cette citadelle, nous boucher les yeux ? Ce pourrait être une erreur fatale : si les Kolderiens lancent un second assaut, connaître leurs armes sera un grand avantage.

— Nous n'avons pas grand-chose à craindre des Kolderiens, dans l'immédiat. Leurs forces ne sont pas très importantes. Si certains se sont enfuis d'ici, nous les traquerons jusqu'à leur Porte... et nous la fermerons !

— Leur Porte ? s'étonna Koris.

— L'officier m'a révélé leur secret, lors de l'ultime combat.

— Ils ne sont pas de ce monde...

Simon dévisagea la sorcière. Venait-elle de lire cette information dans son cerveau, ou, la connaissant depuis longtemps, n'avait-elle pas jugé nécessaire de la diffuser ?

— Nous avons compris il y a peu, Simon. Ils sont venus d'ailleurs — comme toi, mais pour d'autres raisons.

— Ce sont des fugitifs. Leur monde est en proie à la guerre. Un véritable désastre. Je ne pense pas qu'ils aient laissé la Porte Dans La Vallée ouverte derrière eux. Mais il faut s'en assurer. Au plus vite !

— Et tu crois que le démon tapi dans leur magie va nous corrompre ? Tu as peut-être raison. Après tout, Estcarp se contente de son propre Pouvoir depuis des lustres...

— Ma dame, quelle que soit la décision finale, je doute qu'Estcarp puisse rester la même. Le choix est simple : prendre le risque de l'avenir, ou se retirer dans le passé. La stagnation est une forme de mort...

Ils parlaient comme s'ils étaient seuls. Ni Briant ni Koris n'eurent leur mot à dire. La sorcière et Simon traitaient en égaux, *en compagnons dans le Pouvoir.*

— Tu as raison, Simon. Mon peuple doit renoncer à son ancestrale sécurité. Certains s'en réjouiront, avides de construire un nouveau monde, une nouvelle vie. D'autres se lamenteront, voyant un germe de destruction dans chaque nouveauté. Mais cet affrontement est pour demain. Aujourd'hui, nous avons une guerre à finir. Que nous conseilles-tu de faire avec Gorm, Simon ?

— Je suis un homme d'action, ma dame. Ma tâche est de localiser cette Porte pour la rendre inoffensive. Donne-moi des ordres, et j'obéirai. Quant à Gorm... Il faut la déclarer zone interdite en attendant la décision de la Gardienne. Certains pourraient être tentés de se servir...

— Exact. Karsten ou Alizon aimeraient sûrement piller Sippar...

Elle tira son pendentif de sous sa cotte de mailles.

— Capitaine Koris, voici mes ordres : à partir de cette minute, cette citadelle est zone interdite. Une garnison défendra l'île. (Elle sourit au petit homme.) Je te confie son commandement, Seigneur Protecteur de Gorm...

CHAPITRE VII

L'AVENTURE D'UN NOUVEAU DÉBUT

— As-tu oublié, ma dame, répondit le capitaine, un pli amer au coin des lèvres, que Koris le Nabot fut jadis chassé de cette île ?

Il posa la Hache de Volt à plat sur la table, près de son casque.

— Et qu'est-il arrivé ensuite à Gorm et à ceux qui t'ont chassé ? Quelqu'un ose-t-il encore appeler « nabot » le capitaine de la garde d'Estcarp ?

— Trouve un autre protecteur pour Gorm, ma dame. J'ai juré de ne jamais revenir y vivre. Pour moi, c'est un lieu doublement hanté. Je crois qu'Estcarp n'a vraiment pas à se plaindre de son capitaine. Et cette guerre n'est pas encore gagnée.

— Il a raison, intervint Simon. Les Koldériens ne sont pas nombreux, c'est vrai. Il est même possible que la plupart soient piégés dans les sous-marins. Mais nous devons trouver la Porte, et interdire à jamais une seconde invasion. Ensuite, il faudra s'occuper de Yle, s'assurer qu'une garnison n'est pas cantonnée sur les ruines de Fort Sulcar. Et n'oublie pas Karsten et Alizon, peut-être rongés par les Koldériens comme une pomme par des vers. La victoire d'aujourd'hui sonne le début d'une longue campagne...

— Très bien, dit la sorcière, faisant osciller la

gemme au bout de la chaîne. Puisqu'il en est ainsi, deviens le Protecteur de Gorm, compagnon.

Koris parla avant que Simon ait pu répondre :

— Je soutiens cette nomination. Tu as ma bénédiction, Simon. Sois assuré que jamais je ne me dresserai contre toi pour réclamer mon héritage.

Tregarth secoua la tête :

— Je suis un soldat. Et je viens d'un autre monde. Que les chiens affrontent les chiens : poursuivre les Kolderiens est mon travail.

Il se toucha le front. S'il fermait les yeux, il savait qu'il ne verrait pas l'obscurité, mais l'image de la vallée où les hommes en robe grise avaient combattu leurs poursuivants.

— Te contenteras-tu de Yle et de Fort Sulcar ? demanda Briant. Ou iras-tu plus loin ?

— Et où voudrais-tu donc que nous allions, *damoiseau* ? railla Koris.

— A Karsten !

Simon regarda le jeune homme. Jamais il ne lui avait vu une telle détermination.

— Et qu'est-ce qui devrait nous intéresser, à Karsten ? continua Koris sur le ton du badinage.

Il y avait une énigme sous cette plaisanterie ; les deux jeunes gens jouaient comme avant le débarquement. Simon ne comprenait toujours pas à quoi.

— Yvian ! siffla Briant.

Il avait jeté ce nom à la face du capitaine comme un défi. Simon regarda ses deux compagnons. Ils se parlaient comme s'ils étaient seuls au monde. La sorcière et lui avaient fait de même un peu plus tôt...

Koris s'empourpra jusqu'aux cheveux. Puis son visage perdit toute couleur, comme s'il se résignait à un combat qu'il détestait, mais auquel il ne pouvait pas se dérober. Abandonnant la Hache de Volt sur la table, il s'approcha de Briant avec la grâce féline qui parvenait à faire oublier sa difformité.

Une expression de défi mêlé d'espoir se peignit sur le visage de Briant, lui donnant enfin quelque relief. Les mains de Koris se posèrent sur les épaules du gracile jeune homme, les serrant douloureusement.

— C'est ce que tu veux ? demanda le capitaine, sinistre.

— Je veux ma liberté !

Koris lâcha les épaules de Briant. Il rit avec une telle amertume que Simon sentit sa peine comme si elle était sienne.

— Tu l'auras bientôt, je te l'assure !

Le capitaine fit mine de tourner les talons. Briant le saisit par le bras.

— Je veux ma liberté pour recouvrer le droit de choisir... Et je sais qui je choisirai. J'espère que tu n'en doutes pas, *capitaine*. Ou y a-t-il, là encore, une Aldis avec un pouvoir que je n'ai pas...

Aldis ? Simon commençait à comprendre...

Koris prit Briant par le menton, le forçant à lever les yeux. Pour une fois, le capitaine pouvait regarder quelqu'un de haut...

— Tu es bien avide de batailles... Le duc a son Aldis ; laissons-les profiter l'un de l'autre tant qu'ils le peuvent. Pour moi, Yvian a fait le mauvais choix. Le mariage qu'une hache a consacré, une autre hache pourra le défaire.

— Un mariage qui n'a d'autre réalité que le babillage de Siric, rétorqua Briant, toujours insolent, mais sans chercher à échapper aux doigts de Koris.

— Il n'est nul besoin de me le dire, demoiselle de Verlaine.

— Loyse de Verlaine est morte. N'espère pas d'héritage avec moi, capitaine.

Koris fronça les sourcils.

— Une autre chose que tu n'aurais pas dû dire... Un homme comme moi doit plutôt *acheter* une épouse en lui offrant des bijoux et des terres... Puis il doute toute sa vie de l'amour qu'elle lui porte...

La main de la jeune fille se posa sur les lèvres du capitaine, le forçant au silence. La colère tremblait dans sa voix quand elle parla :

— Koris, capitaine d'Estcarp, tu ne devrais pas parler ainsi de toi-même, surtout à une femme comme moi, qui n'a ni terres ni beauté en héritage !

Simon s'approcha de la sorcière et la tira par le bras.

— Laissons-les se battre tout leur soûl, dit-il. Ils ont besoin de solitude...

— Cette prise de bec est de celles qui finissent... en corps à corps ! Ces deux-là ont leur avenir à construire...

— Ainsi, Briant est une femme ? J'ai eu des doutes, souvent. Surtout quand nous avons changé de forme...

— J'ai pu fuir Verlaine grâce à elle. Je lui en sais gré. Fulk n'est pas un geôlier plaisant...

— Lui et ses charognards de la mer ont besoin d'une bonne leçon. Je serai ravi de m'en charger...

Simon n'avait pas besoin qu'elle lui en apprenne plus sur son séjour à Verlaine. Que l'aide de Loyse lui ait été précieuse pour s'enfuir en disait assez long. S'il n'avait tenu qu'à lui, Tregarth aurait affrété sur-le-champ un bateau sulcar pour aller châtier l'ignoble Fulk.

— Une bonne leçon leur ferait certes grand bien, concéda la sorcière. Comme tu l'as dit, nous sommes au début d'une longue campagne. Verlaine et Karsten devront attendre. Simon, je me nomme Jaelithe.

C'était venu si abruptement que Simon ne comprit pas tout de suite. Se souvenant des coutumes d'Estcarp, des règles qui emprisonnaient la sorcière depuis si longtemps, il faillit crier d'étonnement : son nom était son bien le plus précieux dans le royaume du Pouvoir. Le dire revenait à lui confier sa vie, son identité, son *âme*. Il n'y avait pas de plus grand témoignage de confiance.

Comme Koris sa hache, Jaelithe avait laissé le bijou sur la table pour suivre Simon. Il ne s'en était pas aperçu jusque-là. Elle s'était volontairement désarmée avant de lui mettre son existence entre les mains. Un tel *abandon* ne pouvait avoir qu'un sens. Simon se sentit figé de terreur. En ce domaine, il était aussi dénué de talent, aussi « nabot » que le pauvre Koris se jugeait sur le plan physique quand il broyait du noir.

Il passa quand même un bras autour de la taille de la sorcière et l'attira vers lui. Quand il pencha la tête pour goûter ses lèvres, Simon comprit pour la première fois que tout avait *vraiment* changé. Il appartenait à un peuple en route vers l'avenir. Sur le grand métier à tisser de ce monde, son destin serait uni pour toujours à celui de Jaelithe.

Il était enfin chez lui, parmi les siens.

TABLE DES MATIÈRES

PREMIÈRE PARTIE
L'AVENTURE DE FORT SULCAR

I. Le siège périlleux 7
II. Chasse sur la lande 19
III. Simon reprend du service 28
IV. Fort Sulcar appelle à l'aide 37
V. Bataille avec les démons 48
VI. Brouillard mortel 58

DEUXIÈME PARTIE
L'AVENTURE DE VERLAINE

I. Mariage par la hache 68
II. La pêche au trésor 77
III. La sorcière captive 85
IV. Passage secret 93

TROISIÈME PARTIE
L'AVENTURE DE KARSTEN

I. La crypte de Volt 104
II. L'aire du faucon 114
III. Une sorcière à Kars 123
IV. Philtre d'amour 133
V. La corne de brume 145
VI. Le faucon de fer 153

QUATRIÈME PARTIE
L'AVENTURE DE GORM

I. La stratégie de la Terreur 164
II. Le tribut à Gorm 174
III. La salle de contrôle 181
IV. La cité des morts 190
V. Jeu de pouvoir 199
VI. La libération de Gorm 208
VII. L'aventure d'un nouveau début 218

Achevé d'imprimer
par Maury-Eurolivres S.A.
45300 Manchecourt

Imprimé en France
Dépôt légal : Mai 1994